# CRECER BEBIENDO DEL PROPIO POZO

## Taller de crecimiento personal

**11ª Edición**

Revisada y aumentada

Carlos Rafael Cabarrús, SJ

# CRECER BEBIENDO DEL PROPIO POZO

## Taller de crecimiento personal

11ª Edición

Revisada y aumentada

DDB

Desclée De Brouwer

Diseño de colección: Luis Alonso
Ilustraciones: Eduardo Ocampo

1ª edición: octubre 1998
2ª edición: noviembre 1998
3ª edición: marzo 1999
4ª edición: noviembre 2000
5ª edición: noviembre 2001
6ª edición: septiembre 2002
7ª edición: junio 2003
8ª edición: julio 2004
9ª edición: mayo 2005
10ª edición: junio 2006
11ª edición: enero 2008


Henao, 6 - 48009 BILBAO

**www.edesclee.com**
**info@edesclee.com**



*Impreso en España - Printed in Spain*
ISBN: 978-84-330-1336-1
*Depósito Legal: BI-56/08*
Impresión: RGM, S.A. - Bilbao

# Índice

*Deus intimior*
*intimo meo.*
*(San Agustín)*

*Dios más íntimo*
*que mi misma intimidad.*

# Prólogo

## por Carlos Alemany

Doy la bienvenida en nuestra colección *Serendepity Maior* a un nuevo libro de crecimiento personal –un taller dinámico y experiencial– escrito esta vez por un amigo, Carlos R. Cabarrús, al que conozco y aprecio desde hace ya bastantes años.

Carlos se adentró durante los primeros años en la Antropología Cultural, donde, además de doctorarse, realizó numerosas y relevantes investigaciones. Cuando estaba disfrutando de esta especialización fue llamado a adentrarse en un campo nuevo: el de la espiritualidad. En él ha estado formando a jóvenes centroamericanos que provenían de naciones en guerra, de familias heridas, a veces con carencias afectivas, etc. Durante los nueve años que permaneció en esta función, creo que Carlos fue descubriendo que los buenos y tradicionales métodos de enseñanza de la espiritualidad se le quedaban estrechos, sobre todo a la hora de ayudar a recomponer a la persona, o cuando quería guiarle más precisamente por el camino de una madurez humana integradora.

De ahí surgió su afán por expandirse, de aprender otras herramientas que pudieran ser más útiles para el fin que se pretendía. La Sociología primero y la Psicología a continuación, le fueron proporcionanado estos recursos. El autor aclara siempre que él no es un psicólogo, y realmente es verdad en el sentido de que no ha tenido la formación académica ordinaria que proporciona este título. Pero por otra parte, ha dedicado muchas horas a leer, a formarse y a practicar técnicas y teorías psicológicas –sobre todo aplicadas al campo de la relación de ayuda. Esto, junto a su natural intuición, es lo que le ha proporcionado una gran base psicológica y una muy notable experiencia de lo que funciona y de lo que no funciona en cada caso, que es lo que refleja este libro.

El proceso que he visto en el autor suele seguir la siguiente secuencia: primero, partir de la necesidad vivida o experimentada; segundo, buscar las herramientas o instrumentos de formación. Para ello, el autor ha buscado siempre personas expertas en cada campo, que le proporcionen esa misma experiencia de primera mano. Así se ha adentrado en el Focusing de Gendlin, la Bioenergética, la Gestalt, el PRH, el Eneagrama o el Tai Chi. Tras adiestrarse en cada uno de estos enfoques, lo incorpora a su orientación y usa los ejercicios –sabiendo perfectamente el encuadre teórico de los mismos– según el momento y necesidades de la persona. Todo esto le ha ido llevando a hacer "suyas" estas herramientas, a adaptarlas libremente y a acomodarlas sensata y sabiamente para que sean parte de una integración más amplia que la que se pretendía en cada una de las técnicas.

El fin que se pretende con todo ello está claro: la liberación integral del ser humano. O como diría José Antonio García-Monge, *"hacer al hombre posible para que Dios sea creíble"*. Allí donde no es posible construir al hombre, a la persona, por heridas pasadas, aguas estancadas, autoperdones no cencedidos o cicatrices no curadas, el taller ayudará a que –a través de los diversos ejercicios– pueda fluir vitalmente; no en el "laboratorio", sino en la propia vida, bajando a la calle y mezclándose con la gente.

La metodología está muy pensada: del trabajo personal al compartir grupal, se sugiere todo un recorrido de pasos progresivos. El taller es original en la matriz que crea para guiar todo el proceso. Éste está atravesado como contenido básico por la dinámica de la muerte a la vida, y simbólicamente se expresará en aprender a crecer bebiendo del propio pozo –que es la fuente de la sabiduría– una vez saneados e integrados todos los condicionamientos que lo impedían.

El libro tiene numerosos ejercicios pero, al mismo tiempo, los agrupa en torno a una finalidad: atañen a un aspecto enturbiado de la persona o sencillamente no desarrollado lo suficiente; algo vivido como ambiguo o tal vez no expresado adecuadamente hacia afuera. Por otra parte, integra de forma humanística y existencial, sin dualismos y con naturalidad, puentes que hacen posible pasar de la psicología a una dimensión espiritual y viceversa.

La invitación del autor es a tener la experiencia vital de cada instrumento propuesto, basándose en que muchos que lo han hecho han notado cómo cambiaban sus vidas.

Mi invitación es a sentarse con el libro, a dejarse guiar por la mano del experto, a detenerse y practicar con paz aquello que se propone, a hacerse uno preguntas sobre el trasfondo del proceso, a tomar notas de lo que va saliendo y a volver a aquello que uno necesita más para lograr dar con las aguas transparentes y profundas del propio pozo.

Carlos Alemany
Universidad Pontificia Comillas
Madrid

# Presentación

*"Les escribimos a ustedes*
*acerca de lo que hemos oído*
*y de lo que hemos visto con nuestros propios ojos.*
*Porque lo hemos visto y lo hemos tocado*
*con nuestras propias manos..."*
(1 Jn 1,1)

He escogido estas palabras de Juan para iniciar el libro, porque dan sentido a lo que quiere ser: un testimonio coherente de los procesos históricos, espirituales y psicológicos que como sacerdote y antropólogo he acompañado durante gran parte de mi vida. No soy psicólogo, pero he retomado mucho de esta ciencia, la he adaptado a mi quehacer y he visto que funciona, al modo como presento el libro.

Lo que quiero compartir es esta aventura de tomar elementos de la Psicología, y ponerlos al servicio de la liberación integral del ser humano, para que le sea posible acoger y vivir de forma sana y libre la propuesta del Evangelio. Por esto, **no es un libro para leer, sino un taller**: una experiencia vital que solamente puede asimilarse en la medida en la que se realice. Este proceso, sin ser explícitamente cristiano, está impregnado del mensaje de Jesús quien vino *para darnos vida y vida en abundancia* (Jn 10,10). Desde mi ser cristiano he podido verificar no sólo la intrínseca relación de lo psicológico con la experiencia religiosa, sino también, por una parte, lo nefasto de la contaminación de lo religioso con lo psíquico (y viceversa); pero por otra, el potencial de liberación que tiene la verdadera experiencia de fe[1].

1. Hacemos una distinción entre la experiencia religiosa (vinculada a ritos, dogmas y legislaciones) y la experiencia de fe, cuya máxima expresión es la libertad personal, la experiencia de un Dios que ama y libera, e invita a hacer lo mismo en solidaridad con la humanidad. Cfr. DOMÍNGUEZ, Carlos, *Creer después de Freud,* Paulinas, Madrid, 1992, p. 360.

El material que presento a continuación, es el producto de más de doce años de trabajo y experimentación de la temática propuesta. Comenzó cuando fui maestro de novicios, como un instrumento para ayudar al conocimiento y al crecimiento personales. De ese esfuerzo surgió un pequeño folleto, que engendró otro en 1990. Este ha estado circulando, y ha servido como base de todos los talleres que se han realizado en y desde el Instituto Centroamericano de Espiritualidad (ICE), en Guatemala, a partir de 1993.

Ha hecho posible la consolidación de esta propuesta, la convergencia de tres fuentes de sabiduría: la experiencia personal, la formación teórica, y la experimentación de lo positivo de esta metodología[2].

La fuente principal, como suelo decir sin retórica alguna, es la experiencia de haberlo hecho mal como formador. Esto me impulsó a la búsqueda de material, de técnicas, y sobre todo de actitudes que me ayudaran –a mí en primer lugar– a crecer, para poder aportar de manera más lúcida, en el acompañamiento que hago de algunas personas en su propio caminar hacia la madurez. Esta vivencia personal ha sido enriquecida, sin duda alguna, con la experiencia de casi un año de entrenamiento terapéutico con el Dr. Héctor Kuri Cano, en México[3].

La fundamentación teórica que subyace en todo el taller es la compilación de varias propuestas terapéuticas. De ellas retomo, amplío, reelaboro, adapto y genero, *en una presentación libre*, los ejercicios y herramientas que se ofrecen.

Quiero resaltar, y de este modo agradecer, los aportes teóricos que mayor influjo han tenido en el esquema terapéutico que aquí se propone. La introducción a la bioenergética y otras técnicas propias del Dr. Kuri Cano (algunas de ellas importadas de culturas orientales), han sido origen de muchas de las herramientas aquí trabajadas. Los instrumentos para el autoconocimiento y la relación de ayuda han sido inspirados en el PRH (Personalité et Relations Humaines): lo que hace referencia al esquema de matrices[4], la herramienta terapéutica del "¿qué me habita?", y los ejercicios de la búsqueda de la herida y de lo que se denomina en este taller como "el pozo" tienen una impronta

2. Quiero agradecer a Esther Lucía Awad Aubad todo el trabajo de compilar, aportar, reeditar y hacer presentable este taller. Sin su ayuda, esto no hubiera visto la luz de esta manera.
3. Debo un especial agradecimiento al Dr. Kuri Cano por todas sus aportaciones en mi formación terapéutica. Desdichadamente murió en plenitud profesional, sin dejar ningún escrito sobre su quehacer.
4. Esquema de trabajo por columnas empleado por el PRH para hacer los ejercicios de interpelación, que permite, por medio de la comparación, descubrir la causa de los fenómenos psicológicos.

notoria de André Rochais, fundador del PRH[5]. Carlos Alemany, como amigo y psicólogo fue quien me introdujo hacia el trabajo con el focusing y la obra de E. Gendlin; él ha contribuido, sin saberlo, a la cristalización de este texto[6]. De Eugene Gendlin, se toma el Focusing[7], y algunos de sus aportes a la interpretación de los sueños en el libro *Let your body interpret your dreams*[8]. De Jean Monburquette en su libro *¿Cómo perdonar?*[9], tomamos algunas aportaciones para las herramientas terapéuticas de armonización e integración: hacer una nube, acoger a mi niño herido, y el proceso del perdón. Obviamente son de referencia obligada las obras de S. Freud y de C. G. Jung[10]. La dirección y acompañamiento (con su persona y sus numerosos escritos) de Carlos Domínguez Morano SJ, han sido cruciales para la referencia a Freud[11].

La experimentación de los instrumentos para ir haciéndolos cada vez más propios, la contribución de quienes han hecho la experiencia del taller, y el apoyo de quienes han sido y son parte del equipo del ICE –jesuitas, religiosos de varias congregaciones y laicos– han permitido dar una gran dimensión al **Taller de Crecimiento Personal** como herramienta para profundizar en "el pozo" de las cualidades y para llegar a lo que se denomina **"El Manantial"**. Más aún, para ser introducidos en el **"Agua Viva" que es la presencia de Dios en lo más íntimo de nuestra intimidad.**

5. Sobre el material PRH puede consultarse el nuevo libro publicado como obra colectiva del PRH Internacional: *La persona y su crecimiento*, Madrid, 1997, p. 301 y las fichas de trabajo y observación que acompañan las diversas sesiones. Especialmente la sesión "Quién soy yo" e "Introducción al análisis". Especial influencia del PRH tienen los ejercicios 5, 7, 8, 9, 16 de la segunda parte de este taller (*Descubriendo y sanando mi herida*), los ejercicios 2, 3, 9, 10, 14 y 15 de la tercera parte (*Descubriendo y potenciando mi manantial*), y las temáticas de la sensación, las heridas y las reacciones desproporcionadas de la quinta parte (*Complementos teóricos*).
6. Se recomienda ver el libro de Carlos ALEMANY, *Psicoterapia Experimental y Focusing*. Desclée De Brouwer (Biblioteca de Psicología), Bilbao, 1997, p. 514.
7. GENDLIN, Eugene, *Focusing: proceso y técnica del enfoque corporal*, Mensajero, 4ª ed., Bilbao, 1997, p. 198.
8. GENDLIN, Eugene, *Let your body interpret your dreams*, Wilmette. Il, Chiron, 1986. (Actualmente en proceso de traducción para esta misma colección).
9. MONBURQUETTE, Jean, *¿Cómo perdonar?*, Sal Terrae, Santander, 1995, p. 184.
10. A lo largo del texto, en las diferentes temáticas, se encontrarán algunas referencias bibliográficas. Son el crédito a los autores de los planteamientos que aquí retomamos, pero también queremos que sean una invitación (o iniciación) a la lectura y profundización de estos textos, como otra herramienta de conocimiento y crecimiento personal, por esto, en algunos casos más que notas de referencias bibliográfica, son sugerencias de lectura.
11. De este autor, resaltamos estas obras: *El psicoanálisis freudiano de la religión: análisis textual y comentario crítico*, Paulinas, Madrid, 1991, p. 517; *Teología y Psicoanálisis*, Colección Ensayos. Cuadernos "Institut de Teología Fundamental", San Cugat del Valles, Barcelona. S/f. y "El deseo y sus ambigüedades", en *Sal Terrae*, Septiembre 1996.

El objetivo de este taller es propiciar un espacio de conocimiento profundo que permita reconocer y trabajar el proceso vulnerado, y acoger y potenciar el pozo de la positividad, para adquirir herramientas que capaciten y ayuden a desarrollar plenamente la dimensión humana, base de cualquier opción de vida.

Se utiliza la metodología de taller, porque no se trata sólo de aprender teorías. De lo que aquí se trata, es sobre todo, de **EXPERIMENTAR** en la propia vida. De la experiencia reflexionada surge posteriormente el conocimiento. Todo ello forma como capítulo de la vivencia personal.

El trabajo se realiza a tres niveles: personal, en grupo de vida y en la puesta en común del grupo grande o plenario. Tanto para los trabajos personales, como para los de grupo de vida, se dan espacios de tiempo entre treinta (30) y cuarenta y cinco (45) minutos de promedio, para cuidar que los ejercicios se hagan realmente desde la lógica de la sensación y no desde la lógica de la razón.

Los **trabajos personales,** en su mayoría, están basados en una matriz que guía el proceso. La ventaja de éstas es que, por ser unos ejercicios de interpelación, obligan a concretar, a no divagar, a no obviar el tema. Las matrices no dejan hablar en abstracto, porque exigen hacer comparaciones para llegar a la causa, pues tocan de manera sucinta y comparativa, las sensaciones sobre puntos que frenan o aceleran el proceso de crecimiento.

Estos ejercicios de interpelación son el camino complejo, estructurado, hacia la herida y el manantial: dinámica de la muerte a la vida, de lo vulnerado al pozo. La secuencia y el ordenamiento de los ejercicios, más la repercusión corpórea, el **NER**[12] y el compartir con el grupo, son en sí **mismos caminos terapéuticos**: esta metodología globalmente es una terapia.

Además, se da una gran fuerza al papel del **grupo de vida**[13], pues éste, por excelencia, es el gran terapeuta. La visión global que se tiene en el grupo grande, **el grupo plenario**, hace caminar a los participantes en el taller en el compromiso de crecer juntos, por contraste, por resonancia...

En los grupos plenarios se hace una doble revisión: el instrumento (es decir, el modelo del ejercicio sugerido) y la experiencia interna que provocó éste. La evaluación del instrumento permite: saber si éste ayudó u obstaculizó en el

12. ***NER***: acróstico de la ***N***ovedad, el ***É***nfasis o la ***R***elación nuevos que deben surgir de cada ejercicio al cumplir el objetivo propuesto por él. Ver aclaración teórica: *Criterios para saber si estoy haciendo bien un ejercicio*, p. 108.

13. El grupo de vida se constituye estableciendo las máximas combinaciones posibles (edad, sexo, congregación, etc.). Suele estar formado por unas ocho (8) personas, y es el espacio más importante donde cotejar y crecer.

proceso, orientar las dificultades, complementarlo con la experiencia de los participantes y terminar de consolidar el conocimiento técnico de la herramienta. La experiencia personal, como se dijo anteriormente, enriquece al grupo total. De allí que, propiamente hablando, se crece también desde "el pozo de los demás".

Se emplean además, ejercicios de T'ai Chi y de Bioenergética, como dos herramientas fundamentales para el trabajo de asimilación corporal de las experiencias. La convicción de que el cuerpo guarda la memoria de la vida es algo que atraviesa toda la metodología presentada.

El trabajo del taller de cada semana, se termina con un día de desierto para hacer síntesis vitales: asimilar, leer los trabajos (terminar lo inconcluso), saborearlos y llevarlos a la experiencia de Dios. Ayuda para esto, retomar los métodos, reconsiderarlos, puntualizar, dejar claro...

El día de desierto es el tiempo para preguntarse ¿dónde estoy en mi crecimiento y conocimiento personal?, y **escuchar** lo que Dios tiene que decir. Es también el tiempo de confrontar lo vivido con la persona que acompaña el proceso individual de cada participante.

Este material se presenta en cinco partes: la construcción de la comunidad, el descubrir y sanar mi herida, el descubrir y potenciar mi manantial, las herramientas terapéuticas y complementos teóricos. Sin embargo, los ejercicios de construcción de la comunidad se integran con el inicio del descubrimiento de la herida. Las herramientas terapéuticas y los contenidos teóricos se van presentando con el desarrollo de los ejercicios. Esta misma razón hace que eventualmente se rompa la secuencia numérica de los ejercicios, pues es necesario adecuarla al proceso de los participantes, cuidando no perder la lógica del taller; es decir, es posible hacer unos ejercicios antes que otros, pero conservando la unidad de la parte vulnerada, y la de la parte de la positividad.

Para finalizar, es importante enfatizar que, en primer lugar, este no es un libro "terminado" sino en "proceso", pues cada taller lo abre a nuevos ejercicios o a reinterpretaciones de los antiguos; y en segundo lugar, este no es un libro de consulta, sino una herramienta de trabajo: solamente haciendo la experiencia vital de cada instrumento propuesto, es posible asimilar la densidad de su efecto, y despertar e introyectar el camino del conocimiento y crecimiento personal que brota del **manantial**, abre a la fuente de **agua** viva, y lleva a volcarnos en servicio de las personas necesitadas.

En definitiva, la página final la "escribe" cada una de las personas que corren y aceptan el riesgo de vivir esta experiencia y se dejan modificar por ella. ¡A todas y todos mi gratitud porque desde su propia historia son coautores de este libro!

*Carlos Rafael Cabarrús, SJ*
*Instituto Centroamericano de Espiritualidad (I.C.E.)*
*Guatemala*

# Construcción de la comunidad

# 1

Es necesario facilitar el paso de un conglomerado humano, hacia un grupo, y de allí, hacia una naciente comunidad. Esto se da con más fuerza en el grupo de vida.

El objetivo de estos ejercicios es destacar y propiciar, en la construcción comunitaria, el elemento del conocimiento compartido (por verbalización y por expresión corporal principalmente), y la obtención de niveles cada vez mayores de profundidad y confianza.

Se privilegia el que cada ejercicio se realice con una persona con la que todavía no se ha establecido ningún contacto.

## EJERCICIOS DE INTERPELACIÓN

### Ejercicio 1: Conocer el lugar

El objetivo de este ejercicio es ubicarse y relacionarse vitalmente con el lugar donde se vivirá esta experiencia.

- Recorrer silenciosamente todo el lugar durante treinta (30) minutos, observándolo con atención y tomando conciencia de que es el lugar que se me dio, que soy parte de este entorno, que va a evolucionar conmigo.

  Entre tanto me voy preguntando:

  * *¿Cómo estoy?*
  * *¿Cómo vengo?*
  * *¿A qué me parezco?*: que sea ésta la pregunta que le hago a la naturaleza… ¿a una hoja seca? ¿a una piedra? ¿a un árbol débil o frondoso? ¿a un animal?… Si es posible, traigo al salón de grupos aquello a lo que la naturaleza me dice que me parezco. Dejo que el símbolo me encuentre.
  * *¿Cómo me siento con ese símbolo?*

- Escoger un compañero del grupo y compartir la experiencia.
- Se comparte la vivencia en la plenaria. Que sea el símbolo el que me presente, que sea el símbolo el que diga: "*... se parece a mí porque...*". Por ejemplo: la piedra doce "*María se parece a mí porque está rodando por el camino*".

## Ejercicio 2: Lo que se movió en mí

El objetivo de este ejercicio es dejar salir todo lo que empieza a hacerse notar dentro de sí con la experiencia que se está iniciando. Es dejar que sean las sensaciones y no los discursos, el material de análisis.

- Escribir todo lo que se movió, pero no escribirlo con la cabeza y las ideas sino con lo que estoy sintiendo, lo que se mueve por dentro. No en el nivel de la lógica racional sino de la experiencia. En ocasiones, sobre todo cuando se inicia el proceso del conocimiento personal, ayuda escribirlo con la mano contraria a la que se emplea usualmente: los diestros con la izquierda y los zurdos con la derecha.
- Anoto todo lo que me gustaría trabajar de mi afectividad, mi sexualidad, mi vocación, mi guión vital,... Guiarse por donde el cuerpo resuena.

## Ejercicio 3: Riesgo en la comunicación

El objetivo de este ejercicio es irse abriendo en el grupo a una comunicación más profunda y arriesgada. Es un ejercicio en dónde se juega con la libeertad y la igualdad.

***Condiciones***:

Cualquier pregunta que se hace supone que se está dispuesto a contestarla si se la devuelven.

Se puede dejar sin responder (si se quiere) alguna pregunta que me hagan.

- Escoger una persona que no sea de mi grupo de vida, ni de mi comisión de servicios (grupo de trabajo para las diferentes labores domésticas en las que se presta alguna colaboración), pero con la que me gustaría trabajar.
- Dialogar libremente con ella. Estos temas pueden ser sugerentes:
  - * *Entretenimientos.*
  - * *¿Qué otra cosa te hubiera gustado ser en la vida?*
  - * *¿Cómo es tu experiencia de Dios?*
  - * *¿Cuál es tu principal defecto?*
  - * *¿Hay algo que te avergüence de tus padres?*

* *¿Cómo te caigo yo?*
* *¿Por qué me escogiste a mí para trabajar?*
* *¿Estás satisfecho con tu vida afectiva-sexual?*
* *Cuéntame tres experiencias fuertes de tu vida*
* *¿Cuál ha sido la crisis más seria?*

- Terminar con una especie de bendición, o un agradecimiento mutuo que cierre con mucho respeto el encuentro profundo que se ha tenido.
- Se hace el ***NER***[14].
- Cada uno expresa al otro la visión que tuvo del otro.
- Se comparte en la plenaria.

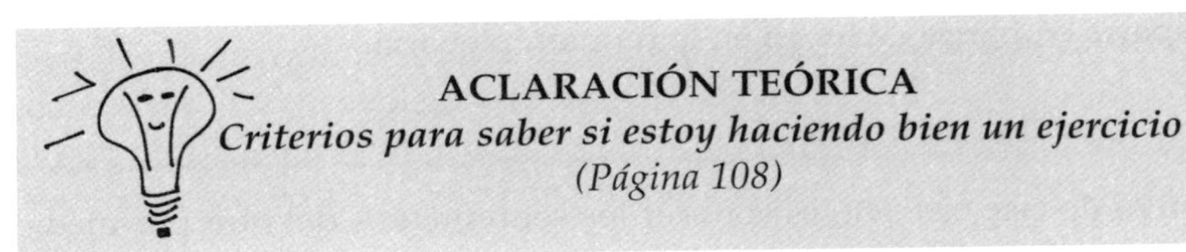

**ACLARACIÓN TEÓRICA**

***Criterios para saber si estoy haciendo bien un ejercicio***

*(Página 108)*

## Ejercicio 4: Experiencia de mirarse

El objetivo de este ejercicio es aprender a conocer al otro a través de los diferentes tipos de miradas. Más por lo que dice el cuerpo que por lo que expresan las palabras.

- Escoger una persona que no sea de mi grupo de vida, ni de mi comisión de servicios, pero que me gustaría trabajar con ella.
- Sentarse frente a frente… el facilitador orienta para que por un espacio de dos minutos uno ejecute un tipo de mirada y el otro la reciba.

  Tipos de mirada:

  * Mirada observadora.
  * Mirada controladora, competitiva.
  * Mirada empática, comprensiva.
  * Mirada cálida, tierna.
- Al terminar cada una de las miradas, se invierten los roles.
- Cada uno escribe cómo se sintió en la experiencia: *¿qué aprendí de mis sensaciones? ¿qué conocí de la persona con la que hice el ejercicio?*
- Se hace el ***NER***.
- Se comparte con la pareja y luego en la reunión plenaria.

14. NER: acróstico de la Novedad, el Énfasis o la Relación nuevos que deben surgir de cada ejercicio al cumplir el objetivo propuesto por él.

## Ejercicio 5: Los ciegos

El objetivo de este ejercicio es que haya conocimiento a través de la confianza.

- Escoger una persona que no sea de mi grupo de vida, ni de mi comisión de servicios, pero que me gustaría trabajar con ella.
- Uno guía al otro con los ojos cerrados, durante 15 minutos, recorriendo espacios, tocando, poniéndolo a veces en situaciones de cierto temor: por velocidad o desorientación. Debe hacerse en silencio.
- Luego se invierten los roles.
- Se hace el ***NER*** personal.
- Se comparte en parejas y luego en la reunión plenaria.

## Ejercicio 6: Espalda con espalda

El objetivo de este ejercicio es conocer los sentimientos del otro por medio del contacto con la espalda.

Debe hacerse por parejas que tengan la misma estatura, y preferiblemente sentados en el suelo.

- Se invita a las parejas a darse un masaje con la espalda y el cuello. A sentir el apoyo, a descansar, a abrirse, a percatarse de las represiones o de los sentimientos de libertad que se desaten.
- Se hace el ***NER***: *¿Qué aprendí de ti? ¿Qué aprendí de mí?*
- Se comparte en la plenaria.

# Descubriendo y sanando mi herida

# 2

El conocimiento y la aceptación de sí mismo, ayuda a ser personas integradas. Por eso, es esencial entrar en contacto con la parte vulnerada, es decir, con la propia *HERIDA*, para poder iniciar el proceso de sanación y crecimiento.

El objetivo de esta primera parte, es proporcionar las herramientas necesarias que ayuden a encontrar, tocar y darle nombre a aquello que ha dejado una huella negativa, para dar el primer paso hacia la gran tarea del crecimiento personal.

Estos ejercicios tienen un triple fruto:

* Descargar (catarsis).
* Buscar la fuente, la causa...
* Comenzar el proceso curativo.

Es un trabajo de ***análisis*** que implica dolor: intensificar las sensaciones para poderlas evacuar y tenerlas al desnudo, y reconocer datos y relacionarlos. Esto para que, en la concatenación de sensaciones y datos, se pueda llegar a la herida y se pueda descubrir el camino de curación. En cierto sentido se trata de un "Vía-Crucis"o un "descenso a los infiernos".

Cuando se reconoce, se sana y se integra la herida, se vive un proceso de crecimiento personal, se empieza a responder a las heridas de manera adulta.

## EJERCICIOS DE INTERPELACIÓN

### Ejercicio 1: Mi autobiografía: conocerme a través de mi historia

El objetivo de este ejercicio, es vaciar la vida en una hoja de papel... Una hoja que permanecerá siempre abierta y que será posible ir complementándola con nuevos datos a medida que vayan siendo recordados.

- Tomar una hoja y doblarla por la mitad en forma sucesiva, el mayor número de veces posible, hasta que queden por lo menos 32 cuadritos.
- Colocar en cada cuadro una fecha (año) desde el nacimiento hasta hoy. Quienes lo requieran, siguen por el reverso o toman otra hoja, según la edad.
- Colocar en cada recuadro con un color lo que recuerdo, con otro color lo qué me han dicho.
- ¿Qué poner?
  * *Relaciones*: con los propios papás, con los hermanos, con otras personas…
  * *Salud*: ¿estaba enfermo? ¿era débil?
  * *Mi cuerpo*: ¿cómo era yo? ¿qué conciencia tenía de él?
  * *Idea de Dios*: ¿cómo me surgía Dios en ese momento: juez, castigador, amigo, Padre amoroso…?
  * *Idea del pecado*: ¿qué era lo más pecaminoso?
  * *Sentimientos de culpa*: frente a mí mismo, frente a mis padres, frente a Dios…
  * *Sentimiento global que se recuerda*: contento o triste. ¿Cómo era, en general, mi estado de ánimo?
  * *Vida afectiva*: relaciones de amor y de odio.
  * *Sexualidad*: ¿precocidad? ¿ingenuidad? ¿temor? ¿libertad?
  * *Momentos alegres.*
  * *Momentos dolorosos.*
  * *Momentos tristes.*
- Deben colocarse, por tanto, datos de la cabeza, del corazón, de las relaciones, del estado de ánimo (bien o mal).
- Se hace el ***NER***:
  * ¿Qué cosas nuevas aprendí de mí?
  * ¿Qué constantes encontré?
  * ¿Qué me llama más la atención?
- Se comparte en el grupo de vida.
- Reunión plenaria.

## Ejercicio 2: Comparación

El objetivo de este ejercicio es contrastar, mi vida presente con una etapa anterior, para conocerme mejor. Solamente se puede identificar lo que está pasando ahora, en comparación con lo que sucedió en el pasado.

- Seleccionar dos tiempos que puedan compararse: dos tiempos marcados por algo significativo.

- Comparar aspectos vitales: ¿cómo era antes? y ¿cómo soy ahora?
  Algunos criterios de comparación, pueden ser:
  * *Antes yo pensaba...* *ahora yo pienso...*
  * *Antes yo sentía...* *ahora yo siento...*
  * *Antes yo gozaba con...* *ahora yo gozo con...*
  * *Antes yo sufría por...* *ahora yo sufro por...*
  * *Antes yo creía que...* *ahora yo creo...*
  * *Antes yo amaba...* *ahora yo amo...*
- Hacer el ***NER***. Lo importante es que del contraste se descubran elementos de la propia verdad, datos nuevos...
- Se comparte en grupos de vida y posteriormente en reunión plenaria.

**HERRAMIENTA TERAPÉUTICA**
***Ejercicios de T´ai Chi***
*(Página 64)*

## Ejercicio 3: El plano de mi casa

Es un ejercicio sobre la niñez, para descubrir los recuerdos que vienen con la casa física.

***Primera parte:***

- Elaboro el plano de la casa donde pasé mi niñez. Si hubo varias, *"las escucho"* para sentir cuál es la más significativa, *cuál dice "yo"*.
- Coloco el signo (+) en los lugares donde hay recuerdos de experiencias agradables y el signo (-) en los sitios donde hay recuerdos desagradables, que no me gustan...
- Coloco un número mayor de signos (+) o (-), según tenga mayor o menor intensidad la experiencia vivida en ese lugar.
- Dejo que surjan mis sensaciones... luego escribo lo que siento.
- Concreto el ***NER*** del ejercicio.
- Lo vinculo con los ejercicios anteriores.

***Segunda parte:***

Trabajarlo por binas.

- "Invito" a mi casa a una de las personas de mi grupo de vida y la "paseo" por toda la casa, previniéndola sobre lo que puede pasar en cada rincón... *"Ahí no entres porque ahí hay alguien que te puede hacer daño", "entra ahí que ahí vas a gozar mucho"...*

Se señalan los lugares más agradables, pero también los prohibidos, los peligrosos.

- Se hace el ***NER***, tanto del momento en el que yo invité como del momento en el que fui invitado.
- Se comparte en el grupo de vida y en la reunión plenaria.

**ACLARACIÓN TEÓRICA**
***La Sensación***
*(Página 110)*

## Ejercicio 4: Figura de mamá y papá en mi vida

Lo que somos, por muchas razones, lo hemos heredado de nuestros padres. El objetivo de este ejercicio de interpelación es ver el influjo que esto ha tenido en la propia vida. De algún modo puede comenzarse a expresar las posibles relaciones edípicas[15].

- Elaboro una lista de las cualidades y los defectos de mi madre.
- Elaboro una lista de las cualidades y los defectos de mi padre.
- Luego me pregunto:
  - *¿Con quién hacía pactos, alianzas? ¿con mamá? ¿con papá?*
  - *¿Con cuál rivalizaba?*
  - *¿A quién quería más?*
  - *¿A quién me parezco más?*
  - *¿Con cuál me identifico más?*
  - *¿Con cuál me relaciono más?*
- Elaboro el ***NER.***
- Se comparte en el grupo de vida y en la plenaria.

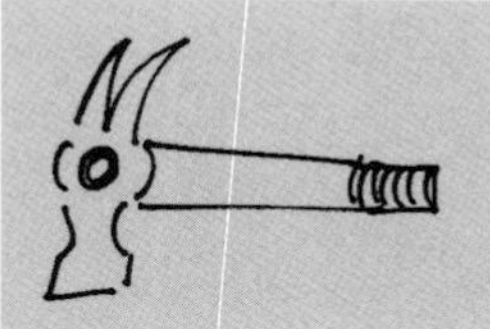

**HERRAMIENTA TERAPÉUTICA**
***¿Qué me habita?***
*(Página 66)*

15. A pesar de lo complejo –y posiblemente discutible– de la relación edípica freudiana, resulta por lo menos sugerente (heurístico) abrirse a la hipótesis de que las relaciones con el padre o madre –contrario al propio sexo– y las rivalidades con el progenitor del mismo

## Ejercicio 5: Mi historia dolorosa

El objetivo de este ejercicio de interpelación es establecer la cadena de sucesos dolorosos que han marcado la propia vida. Todo ello va posiblemente señalando dónde está la herida.

- Desarrollo una matriz que responda a las siguientes preguntas:
  * *Edad.*
  * *Acontecimiento doloroso.*
  * *¿Qué o quién lo provocó?*
  * *¿Qué sensación tuve entonces?*
  * *¿Qué sensación tengo ahora?*
  * *Exploración: qué relación encuentro con los ejercicios anteriores.*

| Edad | Acontecimiento | Lo provocó | Sensación anterior | Sensación actual | Exploración |
|---|---|---|---|---|---|
| | | | | | |

- Se hace el ***NER***
- Se comparte en grupo de vida y en el grupo plenario

A este instrumento de *Mi historia dolorosa* se le pueden agregar más columnas: el cuerpo, la experiencia de Dios, las experiencias afectivas (sentimientos, cómo se han roto... etc.)[16].

**ACLARACIÓN TEÓRICA**

***¿Cómo se comporta un grupo de vida?***

*(Página 112)*

## Ejercicio 6: Psicodrama

El objetivo de este ejercicio es acercarse a la herida por medio de la escenificación de una escena familiar típica: el psicodrama hace que al dramatizar se evoquen cosas personales, sobre todo la parte golpeada. Este ejercicio puede *resaltar* la herida.

---

sexo, dicen mucho de los propios traumas afectivos y sexuales, y matizan relaciones ulteriores. Cfr. TALLAFERRO, Alberto, *Curso básico de psicoanálisis*, Paidós, México, 1992, p. 187.

16. La libertad para ampliar, aportar y personalizar las matrices, es algo que se invita a practicar con cada ejercicio de interpelación. Así, posteriormente pueden ser aplicados con creatividad en análisis de diferentes situaciones.

- Hacer un psicodrama[17] de una escena familiar, por grupos de vida.
  * Elegir una persona que cuente una escena de su vida familiar.
  * El dueño de la historia, escoge entre los del grupo quien representaráca-da personaje. Dejar por lo menos a uno como observador.
  * Se hace la escenificación.
- El observador puede resaltar lo que se produjo.
- Hacer el ***NER.***
- Compartir cómo lo vivió cada uno, qué provocó el ejercicio interiormente.
- Grupo plenario.

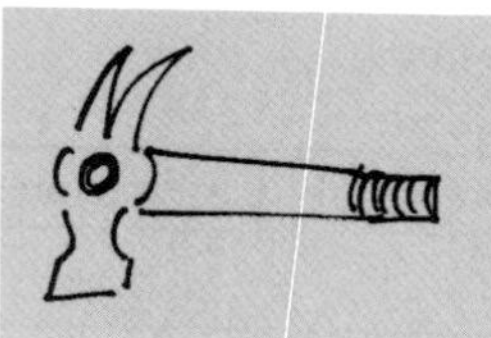

**HERRAMIENTA TERAPÉUTICA**
***La postura corporal***
*(Página 70)*

**ACLARACIÓN TEÓRICA**
***La energía corporal***
*(Página 118)*

## Ejercicio 7: Descubriendo mi herida por donde yo hiero

El objetivo de este ejercicio es descubrir *mí* herida, encontrando el modo como se hiere a otros, porque generalmente, hiero por donde me hirieron. Este ejercicio no es para culpabilizarse moralizando las actuaciones personales, ni para auto agredirse diciéndose *"qué malo soy"*, sino para descubrir por dónde he sido herido.

Este ejercicio nos hace conscientes de que hacemos *"mal"*, de que hay algo irracional en nuestra acción. Y que el modo de cambiar, por tanto, no es el voluntarismo ni la lógica racional.

Para hacerlo, ayuda preguntarse: *¿Qué cosas hago yo cuando hiero a otras personas? ¿de qué se quejan de mí?*

17. Para una profundización en el psicodrama como metodología más amplia y de muchas aplicaciones, es interesante refererirse al libro de José Agustín RAMÍREZ, *Psicodrama: teoría y práctica*, Desclée De Brouwer (Serendipity Maior), Bilbao, 1997, p. 247.

- Desarrollo una matriz que responda a:
  - *¿Cuándo hiero?*
  - *¿A qué personas hiero?* Ordinariamente hiero más a los más cercanos. Fueron mis padres los que más me hirieron.
  - *¿Por dónde ataco?* Puedo reconocerlo por lo que digo, porque hago sentir mal o despreciable al otro. Puedo atacar por la inteligencia, por la afectividad, por la identidad…
  - *¿Qué instrumento utilizo?* ¿silencio? ¿crítica? ¿indiferencia? ¿fuerza bruta?
  - *¿Qué experimento cuando lo hago? … ¿en el momento gusto, pero luego se vuelve un infierno y por eso no lo entiendo?*
  - *Racionalizaciones:* ¿cómo justifico mi actuación? *"Se lo merece… para que quede claro quién es el que manda…"*
  - *Exploración*: cómo puedo relacionar este ejercicio con los anteriores.

| Cuándo | A quién | Por dónde | Instrumento | Sensación | Racionalización | Exploración |
|---|---|---|---|---|---|---|
| | | | | | | |

- Hago el ***NER***.
- Compartir en grupo de vida y en el grupo plenario.

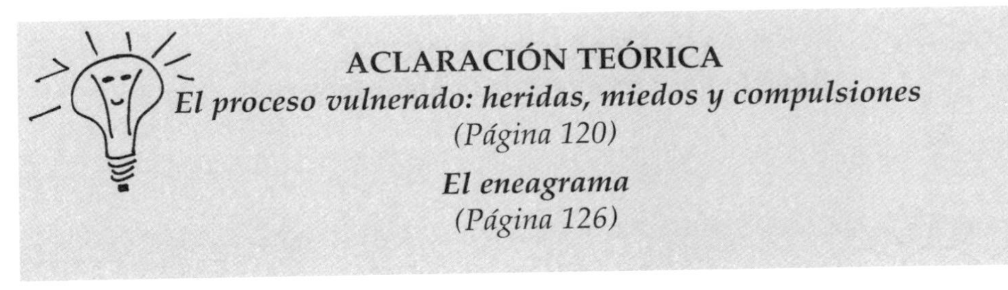

**ACLARACIÓN TEÓRICA**

***El proceso vulnerado: heridas, miedos y compulsiones***

*(Página 120)*

***El eneagrama***

*(Página 126)*

## Ejercicio 8: Descubriendo mi herida por mi sexualidad-genitalidad: historia de mi vida sexual

El objetivo de este ejercicio es recolectar la historia de la propia sexualidad[18], como un camino para reconocer la herida: en todas las áreas se puede haber

18. La sexualidad es algo más que la genitalidad. Es la fuerza vital que expresa el cuerpo: une el afecto con las pulsiones corporales. La genitalidad hace alusión a los actos que tienen que ver con los órganos sexuales. Ahora bien, la sexualidad posee una capacidad metafórica del significado de la vida: para el hombre capacidad de trascender a sí mismo, de ir más allá de sí (erección y expulsión del semen), capacidad de penetrar lo más hondo, de comunicar y de fructificar. Como también toda la riqueza –hasta ahora inexplorada– del

recibido heridas desde el seno materno hasta más o menos los siete años; pero en el área sexual también es posible recibir heridas en la época de la adolescencia.

- Desarrollo esta matriz que responda a:
  - * *Edad.*
  - * *Experiencia:* ¿qué fue lo que pasó?
  - * *Características.* ¿cuáles son los detalles de esa experiencia?
  - * *¿Qué reprimí?* Por ejemplo, mi capacidad de expresar afecto... de...
  - * *¿Qué se plenificó?...*
  - * *Vinculación afectiva.* ¿Hubo o no hubo vinculación afectiva?
  - * *¿Cómo lo vivo ahora?*
  - * *Exploración*: cómo puedo relacionar este ejercicio con los anteriores.

| Edad | Experiencia | Características | Reprimí | Plenifiqué | Vinculación afectiva | Sensación | Actualización | Exploración |
|---|---|---|---|---|---|---|---|---|
| | | | | | | | | |

- Hacer el ***NER***.
- Compartir en grupo de vida y en el grupo plenario.

**ACLARACIÓN TEÓRICA**
***Modelo para reconstruir la historia sexual***
*(Página 134)*

**ACLARACIÓN TEÓRICA**
***Las reacciones desproporcionadas***
*(Página 138)*

---

pene fláccido que nos habla de lo suave, lo pequeño, lo blando, lo cotidiano, como parte de lo que es ser hombre en totalidad (Cfr. NELSON, James, "Abrazar la masculinidad" en *La sexualidad y lo sagrado*, Desclée De Brouwer (Cristianismo y Sociedad), 1996, Bilbao, pp. 306 ss). Para la mujer, capacidad de interiorización (vagina), de acogida, de cobijo, de comunicar y fructificar, que implica además, la capacidad inherente de nutrir y defender la vida, (pechos erguidos, en la excitación, llenos y manantes en la lactancia) que le devuelven a la mujer la agresividad muchas veces reprimidad por sí misma y por la sociedad.

## Ejercicio 9: Mis reacciones desproporcionadas

El objetivo de este ejercicio es identificar las reacciones desproporcionadas, que son señal de la herida.

Ayuda preguntarse: *¿Qué es lo que la gente me critica? ¿en qué soy exagerado?*

- Desarrollo una matriz que responda a:
  - *Lista de las heridas típicas*: no me reconocieron, no me aceptaron, no me amaron por lo que era, no me acariciaron, no me creyeron, no apostaron por mí, me compararon, no me dieron un rol, viví en zozobra...
  - *¿Cómo es mi reacción desproporcionada?:* cuando lo experimento ¿qué sobredimensiono? Por ejemplo, me digo: *"a mí **nunca** me tienen en cuenta"*, cuando en alguna ocasión no me tienen en cuenta.
  - *¿Cuándo me pasa? ¿En qué circunstancia?* Ocasión.
  - *¿Qué la despierta?* ¿Qué es aquello que hace que se inicie la reacción desproporcionada? Es más concreto que la columna anterior.
  - *¿Qué experimento cuando me pasa?*
  - *¿Cómo termina? ¿Cuál es el final de esta reacción?*
  - *¿Qué experimento viéndola ahora?*
  - *Exploración.*

| Herida | Despro-porción | Ocasión | La despierta | Sensación | Finaliza-ción | Actualización | Exploración |
|---|---|---|---|---|---|---|---|
| | | | | | | | |

- Hago el ***NER***.
- Compartir en grupo de vida y en el grupo plenario

**ACLARACIÓN TEÓRICA**
***Los mecanismos de defensa***
*(Página 139)*

## Ejercicio 10: Identificación de mis mecanismos de defensa

El objetivo de este ejercicio es reconocer los mecanismos de defensa que se levantan para proteger la herida, y evitar así, recibir heridas nuevamente.

- ¿Cuáles son los mecanismos de defensa que uso de ordinario? Como hipótesis, miro en primer lugar los que señala mi número del Eneagrama[19].
- Desarrollo una matriz que responda a:
  * *Mecanismo de defensa*: negación, represión, formación reactiva, evasión, desplazamiento, proyección, justificación (racionalización), regresión, compensación.
    * *¿Cuándo se desata?*
    * *¿De qué me defiendo?*
    * *¿De quién me defiendo?*
    * *¿Qué experimento?*
    * *¿Cuán consciente soy ahora?*
    * *¿Qué voces me repito?*
    * *Exploración.*

| Mecanismo | Se desata... | ¿De qué? | ¿De quién? | Sensación | Conciencia | Voces | Exploración |
|---|---|---|---|---|---|---|---|
| | | | | | | | |

- Hago el ***NER.***
- Compartir en grupo de vida y en el grupo plenario.

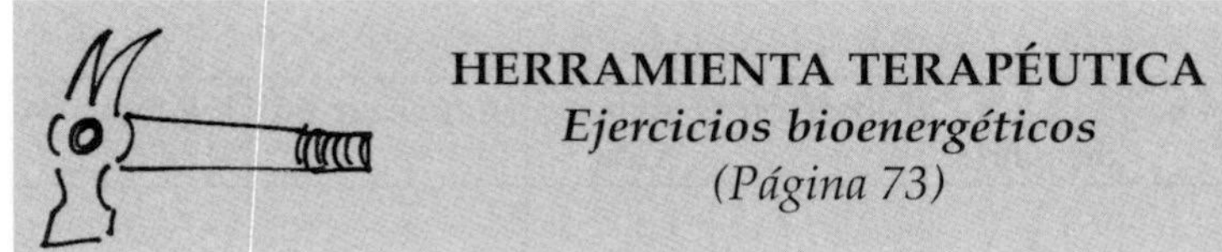

**HERRAMIENTA TERAPÉUTICA**
*Ejercicios bioenergéticos*
*(Página 73)*

## Ejercicio 11: Mis miedos y compulsiones

El objetivo de este ejercicio es acercarse a la herida, reconocerla, por medio de la identificación de los miedos y las compulsiones: de las heridas surgen los miedos, y de los miedos las compulsiones. Es decir, los miedos y las compulsiones son una manifestación de la herida. Las compulsiones son mecanismos repetitivos, inconscientes, contrafóbicos: me llevan a hacer lo contrario a mi miedo.

- Desarrollo una matriz que responda a:
  * *Miedos básicos:* a que me condenen, a que no me quieran, al fracaso, a que me comparen, al vacío, a que me abandonen, al sufrimiento, a la debilidad, al conflicto.

19. Véase la complementación teórica: *El eneagrama*, p. 126.

- ✳ *Situación en la que lo siento.*
- ✳ *Persona que me lo genera.*
- ✳ *¿Cómo me sentía?*
- ✳ *Compulsión*[20] *que surge como respuesta al miedo*. La califico de 0 a 9 según la intensidad.
- ✳ *¿Cómo se manifiesta?*
- ✳ *¿Qué voces escucho?*
- ✳ *¿Hacia quiénes dirijo la compulsión?*
- ✳ *¿Cómo me siento?*
- ✳ *Exploración.*

| Miedo | Situación | Persona | Sentimiento | Compulsión | Calificación (0-9) | Manifestación | Voces | La dirijo | Sensación | Exploración |
|---|---|---|---|---|---|---|---|---|---|---|
| | | | | | | | | | | |

- Termino con el ***NER***.
- Compartir en grupo de vida y en el grupo plenario.

**ACLARACIÓN TEÓRICA**
***Actitudes básicas para el focusing***
*(Página 141)*

**HERRAMIENTA TERAPÉUTICA**
***Focusing drenante***
*(Página 76)*

**ACLARACIÓN TEÓRICA**
***La baja estima***
*(Página 144)*

---

20. Ver nota anterior.

## Ejercicio 12: Indicadores de mi estima personal

El objetivo de este instrumento, es darme cuenta de cómo funcionan en mí los cuatro puntos cardinales de la estima.

- Desarrollo una matriz que responda a:
  - *Cualidades peprsonales.*
  - *¿Cómo las expreso?*
  - *¿Qué cosas agradables, positivas me han traído?*
  - *¿Qué cosas desagradables, negativas, qué dificultades me han generado?*
  - *¿Cuánto me gusta tenerlas?*
  - *Exploración*

| Cualidad | Expresión | Ventaja | Desventaja | Sensación | Exploración |
|---|---|---|---|---|---|
| | | | | | |

- Segunda matriz:
  - *Defectos peprsonales.*
  - *¿Cómo las expreso?*
  - *¿Qué ventajas les saco?*
  - *¿Qué dificultades me han generado?*
  - *¿Con cuáles he dañado más?*
  - *¿Quiénes me los dicen?*
  - *¿Los reconozco?*
  - *Exploración*

| Defecto | Expresión | Ventajas | Dificultades | Daño causado | Personas que los dicen | Cómo me lo dicen | Lo reconozco | Exploración |
|---|---|---|---|---|---|---|---|---|
| | | | | | | | | |

- Tercera matriz:
  - *Personas que me caen mal o con quienes tengo o he tenido dificultades de relación.*
  - *Cualidades que les reconozco.*
  - *Defectos que no les soporto.*
  - *¿Qué tanto son proyecciones mías?*
  - *Exploración*

| Persona | Cualidades | Defectos | Proyección | Exploración |
|---|---|---|---|---|
| | | | | |

- Hacer el ***NER.***
- Compartirlo en grupo de vida y en plenario.

## Ejercicio 13: Baja estima

El objetivo de este ejercicio es reconocer el propio nivel de estima, pues la baja estima es otra de las manifestaciones de la herida.

- Autoevalúo mi estima con la siguiente matriz, calificando de 0 (nunca) a 9 (siempre) cada uno de los ítems.

| **Criterio** | **0** | **1** | **2** | **3** | **4** | **5** | **6** | **7** | **8** | **9** |
|---|---|---|---|---|---|---|---|---|---|---|
| Autocrítica rigorista | | | | | | | | | | |
| Hipersensibilidad a la crítica | | | | | | | | | | |
| Indecisión crónica | | | | | | | | | | |
| Deseo excesivo de complacer | | | | | | | | | | |
| Culpabilidad neurótica | | | | | | | | | | |
| Hostilidad flotante | | | | | | | | | | |
| Actitud supercrítica | | | | | | | | | | |
| Tendencia depresiva | | | | | | | | | | |

- Desarrollo una matriz que responda a:
  - * *Criterio de evaluación.*
  - * *¿Cuándo me pasa? Ocasión.*
  - * *¿Qué o quién la provoca?*
  - * *¿Qué experimento cuándo me pasa?*
  - * *¿Cómo reacciono? ¿Cuáles son los resultados?*
  - * *¿Cómo se acaba?*
  - * *¿Qué experimento viéndola ahora?*
  - * *Exploración.*

| Criterio | Ocasión | La provoca | Sensación | Reacción | Finalización | Sensación actual | Exploración |
|---|---|---|---|---|---|---|---|
| | | | | | | | |

- Hacer el ***NER.***
- Compartirlo en el grupo de vida y luego en el grupo plenario.

## Ejercicio 14: Voces y gestos de la baja estima

El objetivo de este ejercicio es reconocer aquellas voces que nos han repetido a lo largo de la vida y refuerzan la baja autoestima. La herida causa la baja estima, las voces la sostienen.

***Primera parte:***

- Hago una lista de las ***voces negativas*** que recuerdo de:
  - *Mi mamá, papá, hermanos, familia.*
  - *Mis amigos.*
  - *La escuela.*
  - *La Iglesia.*
  - *La congregación/la pareja.*
  - *Las situaciones socio políticas, étnicas, de género (masculino, femenino).*
- Desarrollo una matriz que responda a:
  - *Voz.*
  - *¿Cuándo me lo dijeron? ¿Cuándo me lo dicen?*
  - *¿Qué sentía/siento cuándo me lo dicen?*
  - *¿Cómo relaciono esto con mi herida y con mis miedos?*
  - *¿Cómo reaccionaba ante esa voz? ¿Cómo reacciono ante esa voz?: rechazo, alianza…*
  - *¿Qué experimento ahora?*
  - *Exploración.*

| Persona | Voz | Ocasión | Sentimiento | Relación | Reacción actual | Sensación | Exploración |
|---|---|---|---|---|---|---|---|
| | | | | | | | |

***Segunda parte:***

- Hago una lista de las voces negativas que me digo a mí mismo.
- Desarrollo una matriz que responda a:
  - *¿Qué voz me digo yo ahora?*
  - *¿Cuándo me la digo?*
  - *¿Qué siento cuándo me la digo?*
  - *¿Cómo relaciono esto con mi herida y con mis miedos?*
  - *¿Cómo reacciono ante esa voz?:* le hago caso, la detengo, la ataco…
  - *¿Qué experimento ahora que me doy cuenta?:* ¡ojalá sea una gran cólera que me lleve a decirme a mí mismo ***BASTA***!
  - *Exploración.*

| Criterio | Ocasión | La provoca | Sensación | Reacción | Finalización | Sensación actual | Exploración |
|---|---|---|---|---|---|---|---|
| | | | | | | | |

- Hacer el ***NER.***
- Compartirlo en el grupo de vida y luego en el grupo plenario.

## Ejercicio 15: Mi parte vulnerada: patrón de conducta negativa

El objetivo de este instrumento, es caer en la cuenta de que todo lo vulnerado explica ciertos comportamiento pero no los justifica, por tanto, es necesario romper el patrón de conducta negativo que se ha aprendido y se ha mantenido a lo largo de la historia personal y empezar a ver caminos para desarrollar un nuevo modelo de comportamiento.

- Desarrollo una matriz que responde a:
  - *Parte vulnerada:* heridas, miedos, compulsiones, reacciones desproporcionadas. mecanismos de defensa, etc.
  - *Comisión-Omisión:* cosas que se hacen o se dejan de hacer justificándose en la parte vulnerada. V. gr.: como me abandonaron, yo abandono... como a mi me abandonaron, yo no tengo que comprometerme...
  - *Daño causado:* cosas "malas" que hago cuando actúo desde mi parte vulnerada, actitudes y comportamientos inadecuados que hieren a los otros.
  - *¿A quién se lo hago?*: nombres concretos de personas a las que hiero –generalmente a quienes más quiero–. Es importante colocar nombres y no sólo "a mis seres queridos".
  - *Racionalización:* razones, justificaciones, argumentos que digo y ne digo para disculpar y seguir haciendo lo que vengo haciendo.
  - *Sensación:* ¿cómo me siento en el momento, haciendo lo que hago? ¿Cómo me siento después?
  - *Pasos necesarios:* ¿qué pasos podría dar para romper este patrón de comportamiento e ir desarrollando uno nuevo?
  - *Exploración.*

| Parte vulnerada | Comisión omisión | Daño | Persona | Racionalización | Sensación | Pasos de cambio | Exploración |
|---|---|---|---|---|---|---|---|
| | | | | | | | |

- Se hace el ***NER.***
- Compartirlo en grupo de vida y en plenario.

## Ejercicio 16: El proceso (historia) de mi herida

El objetivo de este instrumento, es recuperar el proceso de la herida personal, y conocer sus diversas formulaciones en mi vida, hasta la reformulación actual.

Hay algunas imágenes que nos ayudan a comprender cómo la herida original va creciendo, o cómo es el proceso de la herida:

... *Es como un árbol con raíz y ramas.*

... *Es como dos gotas de mercurio que se atraen, se juntan y se van haciendo más grandes.*

... *Es como un pulpo, un cuerpo con muchos brazos.*

Es la misma herida, pero se va reformulando, va cambiando de cara.

- Desarrollo una matriz que responda a:
  - *Edad.*
  - *Herida original (primer acontecimiento).* Por ejemplo: me abandonaron.
  - *Nuevos sucesos (heridas posteriores):* nuevos golpes. Conté algo que pasó y no me creyeron...
  - *Sumatoria (herida más heridas posteriores):* no valgo y no me creen, por eso me abandonan.
  - *Reformulación:* Frase que explica el porqué de mi herida, que expresa la situación. Voz que recuerdo. *Me queda claro... lo que más se nota...* Es necesario llegar hasta el presente: *¿Cómo está hoy mi herida?*
  - *Exploración.*

| Edad | Acontecimiento original | Nuevos sucesos | Sumatoria | Reformulación | Exploración |
|---|---|---|---|---|---|
| | | | | | |

- Se hace el ***NER.***
- Compartir en grupo de vida y en el grupo plenario.

# Descubriendo y potenciando mi manantial

# 3

Luego de haber descubierto y haber empezado el proceso de sanar la herida, es necesario dar un paso más en el crecimiento personal: descubrir y potenciar la riqueza personal. Reconocer todo lo valioso que hay en cada uno, todo el potencial de cualidades que han ayudado a salir adelante en forma consciente o inconsciente, como medio para irse construyendo como persona.

El objetivo de esta segunda parte, es conocer, tocar y darle nombre a los aspectos positivos de sí mismo: ***el pozo***, para encontrar ***El Manantial*** –que mantiene el pozo–, y descubrir que lo que lo nutre es el ***Agua Viva*** que viene de Dios.

La búsqueda y el encuentro del pozo y del manantial son una *Vía Vitae* –camino hacia la vida– (contrapuesto al *Vía Crucis*), como un camino de resurrección, completando así –con la búsqueda y el encuentro de la herida– la peregrinación de la muerte que lleva a la vida.

## EJERCICIOS DE INTERPELACIÓN

**ACLARACIÓN TEÓRICA**
***Las sombras***
*(Página 146)*

### Ejercicio 1: Mis sombras

El objetivo de este ejercicio es captar las cualidades dormidas o las aún no integradas, que a veces, pueden ser confundidas con aspectos negativos. Las dormidas, pueden volverse un peso o un caminar con poca fuerza; las no integradas, pueden verse como defectos. También se trata de buscar los límites personales que no han sido asumidos todavía y son obstáculo para el crecimiento personal.

Este ejercicio es un intermedio entre lo vulnerado y el pozo. Es un ejercicio para centrarse en las cualidades no integradas, en una fuerza dormida o en una limitación, para captarle el mensaje, el sabor, lo positivo que tienen para sí mismo, e integrarlas.

- Desarrollo una matriz que responda a:

*Tipo de sombra:* metafísicas, corporales, psicológicas, teologales, opcionales, sociopolíticas.

  * *Sombra personalizada:* ¿cómo es mi miedo a la muerte? ¿cómo me pasa a mí? ¿cuál es mi sombra corporal?...
  * *¿Cómo me sitúo yo frente a mi sombra?:* desgana, miedo, rechazo, angustia...
  * *¿Qué cosa positiva puedo sacar de mi sombra y no he podido ver?*
  * *¿Qué debo realizar respecto a mis sombras para integrarlas?*
  * *Exploración:* ¿Qué relación tiene con mi herida? La potencia, la sobredimensiona...

| Sombra | Personalización | Sensación | Positivo | Acciones | Exploración |
|---|---|---|---|---|---|
| | | | | | |

- Hacer el ***NER.***
- Compartirlo en el grupo de vida y luego en el grupo plenario.

## Ejercicio 2: Recolección de mis cualidades

El objetivo de este ejercicio es tener un primer contacto con las cualidades personales.

- Hago la lista de todas mis cualidades (las que conozco y las que me dicen) y las califico de 0 a 9 según ***lo sé*** (por lo que me han dicho) o ***lo siento***.

| Cualidades | Lo sé | | | | | | | | | | Lo siento | | | | | | | | | |
|---|---|---|---|---|---|---|---|---|---|---|---|---|---|---|---|---|---|---|---|---|
| | 0 | 1 | 2 | 3 | 4 | 5 | 6 | 7 | 8 | 9 | 0 | 1 | 2 | 3 | 4 | 5 | 6 | 7 | 8 | 9 |
| | | | | | | | | | | | | | | | | | | | | |

- Las reorganizo en manojos: cabeza, corazón, relación con Dios... Otra manera de agruparlas puede ser por las chakras[21]: *¿cuáles cualidades están relacionadas con cada una?*
- Estudio el cuadro, lo analizo... ¿qué congruencia hay entre "*lo sé*" y "*lo siento*"? Comparo las puntuaciones.
- Del estudio del cuadro saco el ***NER***, fijándome en el número total de cualidades y en qué grupo tengo mayor número de ellas. *¿Qué elementos paso por alto o descuido?*
- Compartirlo en el grupo de vida y luego en el grupo plenario.

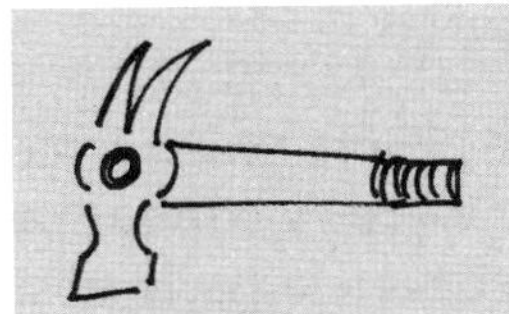

**HERRAMIENTA TERAPÉUTICA**
***Hacer una nube***
*(Página 82)*

## Ejercicio 3: Descubriéndome por la acción

El objetivo de este ejercicio es sacar las cualidades que se manifiestan en el actuar en general. Ver cómo brillan las cualidades personales al hacer un recorrido por las acciones y actividades cotidianas, esas en donde se emplean lo mejor de sí mismo. Este ejercicio ayuda también a percatarse de las que no están integradas aún.

¡No se trata de revisar el activismo!: lo que se quiere encontrar es el pozo, y dentro del pozo, poco a poco ir descubriendo *el manantial* que lo alimenta.

- Desarrollo una matriz que responda a:
  - * *Actividades que hago:* de trabajo, de oración, de descanso...
  - * *¿Qué muestro de mí en esa actividad?* Lo que se ve de mí, ***lo que vive en mí,*** qué se expresa de mí.
  - * *¿Qué se oscurece de mí cuando hago eso?*
  - * *¿Qué experimento cuando lo hago?*

21. Chakras: 7 centros fundamentales de energía vital definidos por la filosofía hindú, que están ubicados en el cuerpo. El fluir libre y armónico de la energía a través de los siete centros, genera la armonización. Estos centros son: *la raíz,* centro de la identidad (en el hueso púbico), *la creatividad y sexualidad,* centro de las emociones y el afecto (cinco centímetros bajo el ombligo), *el plexo solar,* centro del poder (bajo el esternón, donde terminan las costillas), *el corazón,* centro del amor a sí mismos, a los demás y a Dios (en medio del pecho), *la garganta,* centro de la comunicación (en la base del cuello, donde termina la clavícula), *el tercer ojo,* centro de la sabiduría (en la frente, en medio de las cejas), y *la coronilla,* centro de la conexión con Dios (en la parte superior de la cabeza).

*Exploración.*

| Actividades | Lo que se expresa de mí | Lo que se oscurece | Sensación | Exploración |
|---|---|---|---|---|
| | | | | |

- Termino el ejercicio con un *"¿qué me habita?"*.
- Hago el ***NER***.
- Compartirlo en el grupo de vida y luego en el grupo plenario.

## Ejercicio 4: Descubriéndome por la historia de mis victorias

El objetivo de este ejercicio es hacer un recorrido por la propia vida, detectando las victorias que se han alcanzado, es decir, aquellos logros y conquistas que han acompañado el proceso personal. Es una vía de acceso a la parte positiva, al pozo.

La fuerza de este ejercicio es darse cuenta que la herida ha impulsado, retado y llevado a conseguir éxitos y victorias; es decir, darse cuenta que la herida hizo daño, pero sin esa herida, *yo no sería quien soy: ha sido la cuna de mis victorias.*

Tiene un trasfondo teológico: *"cuando soy débil, entonces, soy fuerte"*[22], por eso este ejercicio ayuda a encontrar esas cualidades que son expresiones del manantial (sobre todo aquellas que motivaron la victoria).

- Desarrollo una matriz que responda a:
  - *Edad.*
  - *Victoria:* mis conquistas, mis logros... por pequeño que sea o aparezca (ejemplo: "cuando tenía dos años me perdí en el supermercado y fui capaz de encontrar a mi mamá").
  - *Qué me motivó para lograr esto:* ¿qué fuerza interior hizo que surgiera, qué me movió, qué me impulsó?
  - *Qué se afirmó:* ¿qué se consolidó en mí?
  - *A quiénes afectó positivamente esa victoria:* gente, familia, a mí mismo...
  - *¿Qué experimento al ver esta realización de mis victorias?*
  - *Exploración:* relaciono la historia de mis victorias con la de las no-victorias (fracasos y frustraciones), con la parte dolorosa... a lo mejor la herida me ayudó a las victorias. Ver cómo del dolor ha surgido vida.

22. Cfr. 2 Cor 12,7-10.

| Edad | Victoria | Qué me motivó | Qué se afirmó | Afectó a | Sensación | Exploración |
|---|---|---|---|---|---|---|
| | | | | | | |

- Terminar el ejercicio con un *"¿qué me habita?"*.
- Se hace el ***NER***, buscando que me ayude a asentar mis cualidades.
- Compartirlo en el grupo de vida y luego en el grupo plenario.

## Ejercicio 5: Reacción ante el billete maltratado

El objetivo de este ejercicio es que a través de una escenificación, todo nuestro ser se deje captar por la sensación, y pueda darle nombre a lo visto en la propia vida.

- Escenificación:
  - * Se toma un billete, se le muestra al grupo y se pregunta:
  - * *¿De cuánto es? ¿Cuál es su **valor**? ¡de cinco!*
  - * Ahora, se arruga, se aplasta, se tira al suelo, se pisotea, se patea, casi se le destruye...
  - * Luego, se toma, se desarruga y se muestra nuevamente al grupo preguntando:
  - * *¿De cuánto es éste billete? ¿Cuál es su **valor**? ¡de cinco! ¡sigue siendo del mismo valor!*
- Retroalimentación:
  - * Aunque lo aplasten, lo pisoteen, o intenten dañarlo, ¡el billete no cambia su valor!...
  - * Esta metáfora es aplicable a la vida: el valor de mi persona no cambia, por mucho que haya sido aplastada, pisoteada y/o herida.
- Se hace el ***NER*** y se comparte en la plenaria. Se hace énfasis en que ya no se va a decir más *"yo estoy herido"*, sino *"a mí me hicieron una herida"*, porque *no podemos seguirnos vendiendo como aporreados sino como triunfantes **a pesar de todo**. Si yo sólo muestro lo negativo, así me presento y no dejo de serlo. Lingüísticamente me amarro a mi propio yugo, a sentirme y que me sienta siempre como alguien maltratado, violado en todo mi ser.*
- Para finalizar este ejercicio, se invita a los participantes a que reconozcan cuál es su valor. En un espacio de silencio cada uno responde: *¿Cuál es mi valor?* Se trata de descubrir cuál es ese valor que da un sentido profundo a la propia vida (V. gr.: *soy hijo de Dios, soy mujer, tengo dignidad...*).

## Ejercicio 6: Las pseudoganancias y mi decisión de cambio

El objetivo de este ejercicio es reconocer aquellas ganancias secundarias que hacen que la persona se quede fijada en su proceso vulnerado.

Muchas veces, no se sale de las compulsiones, de los miedos, de las reacciones desproporcionadas, de los mecanismos de defensa, y en general, de todo el proceso vulnerado generado por la herida, porque *no se quiere salir* para no perder las "**ganancias**" efímeras que se tienen con él. Es decir, para sanar realmente la herida tiene que haber apertura para el cambio, disposición para dejar las pseudoganancias: esas ventajas efímeras que se le sacan a la herida, que no quieren dejarse; y por tanto no permiten que se emprenda el camino curativo[23].

Ver las pseudoganancias de la herida, tiene que provocar una cólera grande que lleve a la decisión de ser libre. Renunciar a las pseudoganancias **implica la decisión y la voluntad del cambio.**

Para que realmente se dé el cambio tiene que haber modificación del lenguaje (del ***soy*** al ***estoy***) y de la postura física tradicional. Es decir, si el lenguaje común es "*yo **soy** ansioso*", pasar a decir "*yo **estoy** ansioso*"; si la postura tradicional es la rígida, pasar a una postura relajada.

- Desarrollo una matriz que responda a:
  - * *Aspecto en el que puedo tener pseudoganancias*: herida, baja estima, culpabilización, sombras... En general la parte vulnerada.
  - * *¿Cómo me siento frente a esto? ¿Qué sensación tengo?*
  - * *Pseudoganancias:* ¿dónde hay ganancias secundarias? ¿qué ventaja o beneficio le estoy sacando? ¿qué gano en concreto mostrándome como herido?
  - * *¿Qué pierdo realmente?* ¿qué estoy perdiendo por querer mantener esas pseudoganancias?
  - * *¿Qué experimento ahora al conocer mi trampa? ¿quisiera decir "ya no más, basta, estoy harto"?* Es mirar la vida en la perspectiva de la "perla preciosa"; darse cuenta del papel positivo de la agresividad como fuerza vital, como impulso que me lleva a la hartura, a aborrecer las cosas con las que me he hecho daño, a sentir cólera que lleve a cortar los comportamientos autodestructivos. Esta es la dinámica de la primera semana de los Ejercicios Ignacianos: el aborrecimiento del mal es lo que me lleva a decir ¡NO MÁS!
  - * *¿Qué pequeños pasos necesito dar para cambiar de actitud?*

23. Ayuda a ilustrar esto, el texto del paralítico que lleva 38 años junto a la piscina de Betzaida, y Jesús al verlo le pregunta *¿quieres curarte?* (Cfr. Jn 5,1-18). Se puede hacer de la enfermedad hasta un medio de lucro.

*⁎ Califico de 0 a 9 mi decisión de cambio, de querer curarme.*
*⁎ Exploración.*

| Aspecto | Sensación | Pseudoganancia | Pérdida | Sensación actual | Pasos | Calificación | Exploración |
|---|---|---|---|---|---|---|---|
| | | | | | | | |

- Termino con el ***NER***.
- Compartirlo en el grupo de vida y luego en el grupo plenario.

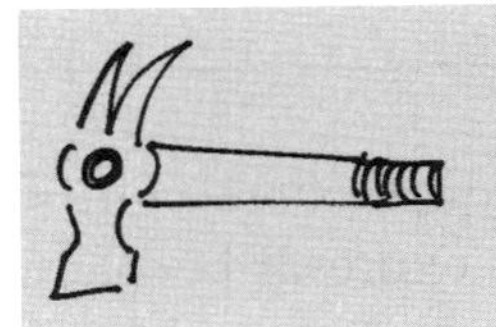

**HERRAMIENTA TERAPÉUTICA**
***La armonización***
*(Página 85)*

**ACLARACIÓN TEÓRICA**
***Dinámica del perdón***
*(Página 151)*

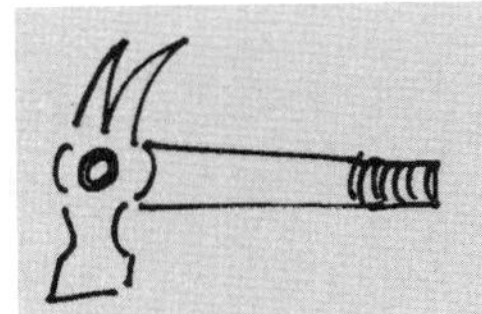

**HERRAMIENTA TERAPÉUTICA**
***El camino del perdón***
*(Página 89)*

## Ejercicio 7: ¿Dónde estoy en mis procesos de perdón?

El objetivo de este ejercicio es analizar las situaciones o personas que todavía no se han perdonado, y con las que hay que hacer un ajuste de cuentas, porque esto, a veces, no deja percibir el pozo de las cualidades y frena el proceso de cambio. Con este ejercicio no se pretende que se dé ya el perdón, sino ubicarse e iniciar este proceso.

- Desarrollo una matriz que responda a:
  *⁎ Lista de personas o situaciones que me han ofendido, o con las que tengo cuentas pendientes.*

* *¿En qué paso estoy del perdón? Recuerdo los pasos del proceso del perdón:* expresión de la cólera, deslindar lo objetivo, reivindicación del propio derecho, conexión con las heridas, encontrar el mensaje, apertura a la condición humana contradictoria, comunicación (oral o escrita), ver a la otra persona con ojos diferentes, apertura a ver al otro como lo ve Dios.
* *¿Qué intensidad tiene el sentimiento? Lo califico de 0 a 9.*

| Persona | Paso del perdón | Intensidad | | | | | | | | | |
|---|---|---|---|---|---|---|---|---|---|---|---|
| | | 0 | 1 | 2 | 3 | 4 | 5 | 6 | 7 | 8 | 9 |
| | | | | | | | | | | | |

- Termino el ejercicio con un *"¿qué me habita?"*.
- Se hace el ***NER***. Para hacerlo ayuda concretar los pasos que deben seguirse para llevar a cabo el proceso del perdón: buscar ayuda, expresar la cólera, escribir la carta, descubrir la relación con la herida, sacarle el mensaje…
- Compartirlo en el grupo de vida y luego en el grupo plenario.

**ACLARACIÓN TEÓRICA**
***El autoperdón***
*(Página 155)*

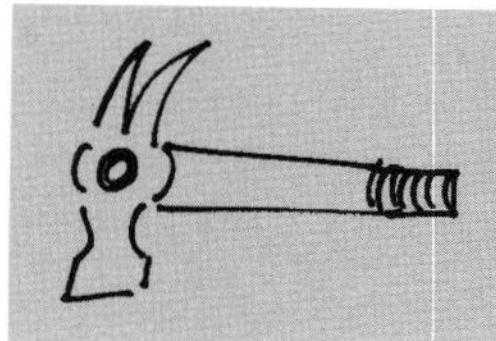

**HERRAMIENTA TERAPÉUTICA**
***¿Cómo perdonarme?***
*(Página 91)*

## Ejercicio 8: ¿Cómo está mi proceso de autoperdón?

El objetivo de este ejercicio es analizar las reacciones personales ante las que hay culpabilización, lo que no se perdona a sí mismo, y con las que hay que hacer un ajuste de cuentas, para que dejen percibir el pozo y potenciar el manantial. Con este ejercicio se pretende situarse e iniciar el camino del autoperdón.

- Desarrollar una matriz que responda a:
  * *Lista de personas o situaciones ante las cuales me siento culpable.*

* *¿En qué paso estoy del autoperdón?:* expresión de la cólera, deslindar lo objetivo, encontrar el mensaje, apertura a la condición humana contradictoria, apertura al amor incondicional de otro, apertura al perdón y amor misericordioso de Dios.
* *¿Qué intensidad tiene el sentimiento? Lo califico de 0 a 9.*

| Persona/situación | Paso del perdón | Intensidad | | | | | | | | | |
|---|---|---|---|---|---|---|---|---|---|---|---|
| | | 0 | 1 | 2 | 3 | 4 | 5 | 6 | 7 | 8 | 9 |
| | | | | | | | | | | | |

- Terminar el ejercicio con un *"¿qué me habita?"*.
- Hacer el ***NER***. Es fundamental que se concreten los pasos que deben seguirse para llevar a cabo el proceso del autoperdón: expresión de la cólera, descubrir el mensaje, abrirse al amor incondicional...
- Compartirlo en el grupo de vida y luego en el grupo plenario.

## Ejercicio 9: Encontrar mi propio pozo a partir del descubrimiento de mi cuerpo

El objetivo de este ejercicio es entrar en contacto con el cuerpo, como medio para conocer el propio pozo, y para descubrir lo que éste significa para sí mismo. No es para mirarlo sólo desde la categoría de la belleza: bonito/feo, sino para incluir otras categorías como la salud, la capacidad de adaptabilidad, la expresividad...

- Desarrollo una matriz que responda a:
  * *Elemento del cuerpo:* hago una lista de cada una de las partes de mi cuerpo.
  * *Criterio de evaluación:* belleza, salud, capacidad de adaptación, expresividad, sensibilidad...
  * *Valoración:* lo califico de 0 a 9 según sea: lo sé o lo siento.
  * *¿Qué reprimo?*
  * *¿En qué me gozo?*
  * *Lo tomo en cuenta, lo reconozco.*
  * *Exploración.*
- También hago esta matriz mirando la totalidad de mi cuerpo, es decir, hago un juicio de la totalidad de mi cuerpo siguiendo las mismas preguntas.

| Elemento | Criterio | Lo sé | Lo siento | Reprimo | Gozo | Lo tomo en cuenta | Exploración |
|---|---|---|---|---|---|---|---|
| | | | | | | | |
| | | | | | | | |
| *Totalidad* | | | | | | | |

- Hago un *"¿qué me habita?"*.
- Termino con el ***NER.***
- Compartirlo en el grupo de vida y luego en el grupo plenario.

## Ejercicio 10: Conocerme por mis aspiraciones profundas: ¡mis anhelos!

El objetivo de este ejercicio es exteriorizar los deseos profundos... Generalmente los deseos son pocos atendidos pues se les considera sólo utopías, ilusiones[24]. Sin embargo, los deseos son sensaciones muy enriquecedoras porque tienen un resorte que impulsa, así como el miedo frena.

Los deseos que construyen la persona son los que brotan del manantial y tienen fuerza en sí mismos.

- Escribir lo que me brote ante estas preguntas:
  * Si yo fuera libre...
    *¿Qué me gustaría **ser**?*
    *¿Qué me gustaría **hacer**?*
- Termino con el ***NER***, notando, sobre todo, las cualidades nuevas que han aparecido.
- Compartirlo en el grupo de vida y luego en el grupo plenario.
- Después de la puesta en común en el grupo plenario, se da un momento más para puntualizar:
  * *Éstos son mis deseos profundos...*
  * *Éstos son mis frenos...*

---

24. San Ignacio plantea una percepción sobre los dinamismos del deseo, en la que sugiere aun el "*deseo de desear*", como un mecanismo para desbloquear a la persona –para hacerle salir lo mejor de sí mismo–, y como una escuela de aprovechamiento de los deseos, que mientras más profundos más reflejan el yo verdadero, el que brota del manantial. Él presta mucha atención a éstos, y establece una evolución: a veces la persona no se atreve ni a desear pero él enseña la fuerza de comenzar por ***desear desear*** para desbloquearse, luego invita a que se aprenda a trabajar con los deseos porque éstos hacen ir a lo más hondo de sí mismo, y entonces se puede establecer desde ellos un canal de lenguaje con el plan (deseo) de Dios para cada uno.

## Ejercicio 11: Conciencia de mi cuerpo ante Dios: orar danzando

El objetivo de este ejercicio es "*dar rienda suelta*" a la expresión corporal haciendo conciencia de todas las partes del cuerpo.

El baile se hace con música instrumental variada –preferiblemente rítmica– y con luz tenue (penumbra); el facilitador va orientando cada uno de los diferentes momentos.

- Se inicia con movimientos libres, dejándose llevar por la música, cambiando de ritmo e involucrando todas las partes del cuerpo. Preparándose para el baile que es la vida...
- Luego de un espacio de aproximadamente treinta minutos, *nos imaginamos que estamos frente a Jesús, y queremos invitarlo a bailar... lo seducimos... nos dejamos llevar por... lo llevamos también nosotros...*
- Después de pasar un tiempo bailando con Jesús, se suspende la música: En un lugar fijo, preferiblemente sentados, y en actitud de oración, escuchamos nuestro nombre, el nombre que nos da Jesús... lo repetimos varias veces con voz suave, perceptible...
- Cuando se ha sentido la experiencia de sentirse llamado por Jesús, respondemos llamándolo en la forma como seguramente lo llamaron sus amigos: *Jeshua*, repetimos varias veces su nombre... Luego, llamamos al Padre y al Espíritu de la forma que... los llamó: *Abbá, Ruáh*... Varias veces, con voz suave, perceptible...
- Finalmente se hace conciencia sobre lo que aconteció en este espacio de oración, y atiendo la invitación de encuentro con los demás que de ella me surge: *¿a quién me siento llamado a agradecer, pedir perdón, ofrecer mi servicio...?*
- Hacer el ***NER.***
- Se comparte en tónica de oración, en parejas o en el grupo plenario.

## Ejercicio 12: "El florero": la positividad

El objetivo de este ejercicio es facilitar que se avance en el descubrimiento de la positividad, abriéndose primero a reconocer las cualidades del otro, como medio para el posterior conocimiento personal.

- En los grupos de vida, observar a cada persona y escribir las cualidades que le veo y que más me atraen (tres o cuatro) de cada uno de los miembros del grupo.
- Luego, uno a uno, decírselas.
- Cada uno escribe lo que le dijeron.

- Cuando se le haya dicho todo a todos, cada uno se pregunta:
  * ¿De las cualidades que me dijeron, cuál fue la que más me gustó? ¿por qué?
  * ¿Cuál fue la que menos me gustó? ¿por qué?
  * ¿Qué cualidad que me gusta, no me la dijeron?
- Se hace el ***NER***.
- Se hace y se comparte el ***NER*** del grupo preguntándose: *¿cómo nos ha hecho progresar esto?* Fijarse en como la valoración positiva hace crecer a cada uno, y progresar como grupo.
- Compartirlo en el grupo plenario.

## Ejercicio 13: El pozo desde la sorpresa: "La bella durmiente"

El objetivo de este ejercicio, basado en el ejercicio *proyectivo* anterior, es darse cuenta de que aquellas cosas positivas que se ven en los otros (excepto las físicas) ya están en sí mismo, por lo menos en semilla. Este ejercicio ensancha la percepción de lo que se puede llegar a ser.

Lo que se le dice al otro es porque cada uno lo tiene o lo intuye –si no fuera así todos dirían lo mismo– eso es lo que hace posible que cada uno le diga cosas diferentes a todos. Si no se tuvieran las cualidades que se expresan a los otros, no podrían decirse porque no podrían reconocerse. No es posible reconocer cualidades en los otros que no estén en sí mismo por lo menos en potencia (exceptuando las que tienen que ver con el aspecto físico y el género sexual).

Aclara lo anterior, recordar la "Parábola de la semilla que crece por sí sola" (Mc 4,26): *esa cualidad que descubro en mi compañero y me llama la atención, es por lo menos una semilla en mí, aunque no me dé cuenta, aunque no sea capaz de reconocerla, aunque no sea consciente de ella... Yo soy también así como he dicho que son los demás...*

La(s) cualidad(es) que se le repiten mucho a los otros son muy propias, y tienen que ver con el manantial. La(s) que cuesta reconocerse o que se niegan en sí mismo y salen aquí, posiblemente están relacionadas con las pseudoganancias, por eso hay que preguntarse qué aparente ventaja se gana no reconociéndolas (v. gr.: una persona dice constantemente que es tímida y le cuesta relacionase y expresarse, y al hacer el ejercicio anterior reconoce fácilmente la espontaneidad y la expresividad en los otros. Como ese ejercicio es de carácter proyectivo, revela que realmente es una cualidad que se tiene pero que se está negando, entonces, ayuda preguntarse *¿qué ventajas le saco a comportarme como una persona tímida, ¿de qué responsabilidades me libro?; ¿la atención de quién gano?*).

También es importante detenerse en la cualidad que me dijeron y no me gustó, pues esta generalmente tiene que ver con la compulsión, las pseudoganancias y algo que se tiene reprimido.

- Se retoma el ejercicio anterior en los grupos de vida.
- Cada uno va diciendo a los otros *"estas cosas que te he dicho...* (se expresan) *es porque las tengo yo", "Yo soy...".*
- Se hace el ***NER*** personal. Sirve preguntarse *¿qué siento cuando digo que tengo justamente lo que siempre he negado?*
- Se hace y se comparte el ***NER*** grupal.
- Compartirlo en el grupo plenario.

## Ejercicio 14: Descubrirme por la connaturalidad

El objetivo de este ejercicio es identificar eso que se hace con total facilidad, lo que no cuesta hacer, como cualidades, características del propio pozo. Lo importante de este ejercicio es darse cuenta de cualidades que a veces, la rutina, no deja contemplar.

- Desarrollo una matriz que responda a:
  * *Acciones que hago fácilmente.*
  * *¿Qué cualidad de mi ser se nota?*
  * *¿Qué experimento?*
  * *Exploración:* ¿qué dice esto de mi pozo?: lo más hondo se nota en lo que no me cuesta, en lo que sale con suavidad.

| Acciones | Cualidad | Sensación | Exploración |
|---|---|---|---|
| | | | |

- Hago el ***NER***.
- Compartirlo en el grupo de vida y luego en el grupo plenario.

## Ejercicio 15: Conociendo mi manantial por las grandes pruebas

El objetivo de este ejercicio es reconocer el propio manantial al mirar qué elemento personal nos ha salvado en los momentos más críticos: el manantial es la fuente que produce el pozo.

Este ejercicio, junto con el de los deseos, el de la historia de las victorias, y el de la cualidad que no fue dicha, puede llevar al manantial, por eso hay que hacerlo con mucha fineza.

- Voy a estudiar los momentos más duros de mi vida, las pruebas fuertes, cosas de fuera que casi me hundieron. No necesariamente vinculadas con mis heridas, sino con acontecimientos más externos.
- Desarrollo una matriz que responda a:

  ⁕ *Momentos difíciles de mi historia.*

  ⁕ *¿En qué cosa mía me apoyé?: ¿qué aspecto mío me salvó?*

  ⁕ *¿Qué me hizo reaccionar? ¿Qué movió en mí alguna persona o situación y me ayudó a salir? ¿qué se movió en mí para que yo saliera de la situación difícil? ¿qué "resorte" o que "tecla" tocaron que me hizo reaccionar?*

  Esta columna hay que hacerla con mucha atención porque ahí está el manantial.

  ⁕ *¿Qué experimento al revivir esto?*

  ⁕ *Exploración:* relaciono este ejercicio con mis deseos, mis victorias.

| Momentos difíciles | Me apoyé en | Reaccioné con | Experiencia al revivirlo | Exploración |
|---|---|---|---|---|
| | | | | |

- Hacer un *"¿qué me habita?"*.
- Elaboro el ***NER*** poniendo especial atención a la segunda columna pues ahí puedo descubrir el manantial, ahí puedo ver de dónde se mantiene con agua el pozo.
- Compartirlo en el grupo de vida y luego en elgrupo plenario.

**ACLARACIÓN TEÓRICA**

***El pozo y el manantial***

*(Página 161)*

## Ejercicio 16: Recolección de la cosecha: proceso ulterior de crecimiento

El objetivo de este ejercicio es integrar todo lo que se ha ido descubriendo con relación al propio pozo y al manantial personal, para saber con qué se cuenta y por dónde se puede seguir avanzando.

Con esto se hace el proyecto de vida en positivo, el camino de crecimiento positivo. Con este material se reconoce, se indica el camino pedagógico, psicológico y espiritual propio, teniendo en cuenta que se crece, fundamentalmente, por tres caminos: el focusing positivo (entrar en los espacios vitales, en donde haya cierta paz, y hacerla crecer), el "¿qué me habita?" y las "Betanias" (es decir, espacios vitales donde hay nutrición y descanso, al ejemplo de Jesús que descansaba donde sus amigos en Betania: la vida en el espíritu es una "Betania"[25] muy especial).

El crecimiento se da por absorción: las evidencias (cualidades que nunca desaparecen y me sacan en las grandes pruebas) pueden absorber a las certezas (cualidades que están de ordinario y las siento, pero en momentos difíciles se esconden), y las certezas a los presentimientos (cualidades que sólo intuyo, o que me las dicen). Se trata de hacer crecer las cualidades partiendo de las evidencias, porque todo trabajo sobre ellas es seguro. Hay que hacer que las evidencias absorban las certezas, y los presentimientos se vayan convirtiendo en certezas.

- Hago una lista de mis cualidades recolectando todas las que han salido en los ejercicios anteriores.
- Compacto, agrupo por "manojos" las cualidades que hacen referencia a lo mismo, las clasifico: cabeza, corazón, relaciones, espiritualidad, cuerpo...
- Desarrollo una matriz que responda a:
  - * *Cualidades en manojos.*
  - * *Las sitúo según sean evidencias (nunca desaparecen), certezas (las siento) o presentimientos (sólo las sé). Las califico de 0 a 9.*
  - * Identifico las voces positivas que pueden traducir esta cualidad.

| Cualidades en manojos | Evidencias | Certezas | Presentimientos | Voces |
|---|---|---|---|---|
| | | | | |

- Hago un "*qué me habita*" en positivo.
- Elaboro el ***NER*** teniendo en cuenta que de este trabajo surge el proceso de crecimiento personal y de cambio.
- Compartirlo en el grupo de vida y luego en el plenario.

**ACLARACIÓN TEÓRICA**

***La voz de la conciencia***

*(Página 163)*

25. Cfr. CABARRÚS, Carlos Rafael, *La mesa del banquete del Reino, criterio fundamental de discernimiento*, Desclée De Brouwer (Caminos), Bilbao, 1998.

## Ejercicio 17: Las voces positivas

El objetivo de este ejercicio es identificar *la voz de la conciencia*. Entendiendo como conciencia, la voz del manantial, la voz de mi ser más profundo en crecimiento; el manantial hecho voz.

De esas voces positivas que se encuentran al traducir las cualidades personales, surge la conciencia como fenómeno moral: "*esto te ayuda... esto no te ayuda*". La conciencia es entonces, la voz del crecimiento personal. Se forma limpiando el manantial, informándola con las contribuciones de la ciencia y la aceptación de los valores más fundamentales.

- Releo el cuadro de mis cualidades y descubro qué voces positivas resuenan en mí. Con estas voces debo sustituir las voces negativas que salieron en la parte vulnerada. Se trata de traducir a voces las cualidades... es decir, no es sólo un pozo sino una sinfonía.
  *¿Qué sonidos forman la sinfonía de mi manantial? ¿está el* ***sonido "tú eres bueno"****?* En definitiva las voces que brotan del manantial me dicen algo que tiene que ver con los atributos del ser:
  * *Uno:* "estás integrado, eres armonioso".
  * *Veraz:* "hay verdad en ti".
  * *Bueno:* "eres bueno" "amable".
  ... y por todo esto, *¡hay belleza en ti!*
- Hacer el ***NER***.
- Compartirlo en el grupo de vida y luego en el grupo plenario.

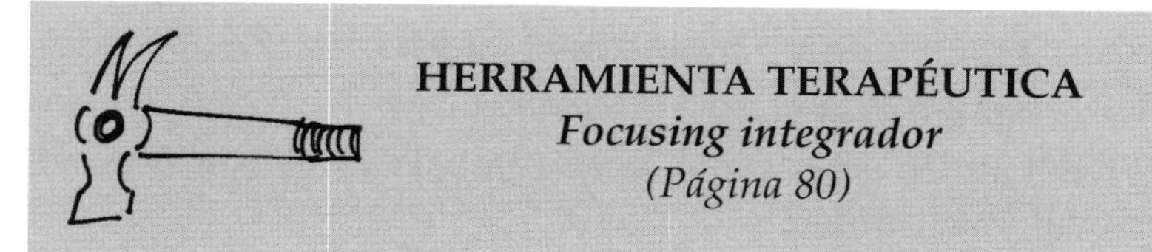

**HERRAMIENTA TERAPÉUTICA**
***Focusing integrador***
*(Página 80)*

## Ejercicio 18: Dios lo más íntimo de mi intimidad

El objetivo de este ejercicio es recoger todo el trabajo de la positividad. Es un trabajo *Teofánico:* porque en mi manantial descubro la fuente de agua que es Dios. Mi manantial es una manifestación de Dios. Conocerse a sí mismo es conocer a Dios porque Dios es la ***fuente de Agua Viva*** que nutre mi manantial. *Dios lo más intimo de mi intimidad.*

Se trata de ver las huellas del Padre, del Hijo y de ***la***[26] Espíritu en mí mismo, y comprender que Dios ES en lo concreto de cada uno, en la propia positividad. Llegar a decir *"Dios estaba aquí y yo no lo sabía"*. Dios deja entonces de ser un Dios abstracto y se le reconoce como un Dios que se presenta en las evidencias de cada persona[27].

En lo más profundo de cada ser humano, lo que se está reflejando es el modo como Dios está presente en él *¡Yo soy reflejo de Dios: esto emite un rayo que refleja la Trinidad! ¡La Trinidad canta al mundo y yo soy su gran instrumento!*

- Reviso todas las cualidades que he recogido de mí en los ejercicios anteriores e identifico las cualidades que hacen referencia o pueden representar en mí:
  - *A Dios Padre.*
  - *A Jesús.*
  - *A la Espíritu*[28]*:* la maternidad personal de Dios.
- Hacer un **Himno a la Trinidad**: *Yo soy un himno de la Trinidad, Jesús ha hecho morada en mí, yo soy templo del Espíritu.*
- Hacer un *"¿qué me habita?"* que me permita agradecer a la Trinidad por haber dejado su huella en mí. Acoger lo positivo –que no tiene nada que ver con la soberbia– que me abre a una espiritualidad nueva, apoyada en mi propio modo de ser, en lo más auténticamente mío.
- Hacer el ***NER***.
- Compartirlo en el grupo de vida.
- Se celebra la Eucaristía poniendo en común el Himno a la Trinidad que cada uno descubrió en sí mismo.

## Ejercicio 19: Detectar a las personas que me nutren

El objetivo de este ejercicio es reconocer las relaciones nutritivas que se establecen con determinadas personas. Este ejercicio responde a la necesidad de ser pequeños, de no perder el niño que llevamos dentro: reconocerlo no nos hace inmaduros. Este ejercicio ayuda a crecer bebiendo del pozo de las otras personas.

Para continuar el proceso del crecimiento positivo se debe recurrir a la experiencia de las "*Betanias*" (metáfora geográfica bíblica que hace alusión a personas, eventos y circunstancias que nutren): *relacionarme con personas que me*

26. Íbid, p. 147.
27. Para alguien no creyente o agnóstico, esta riqueza está de alguna manera opaca. Pero, puede encontrar la conexión con esta *agua viva*, la conexión a algo que no proviene sólo de sí mismo, por la vía de lo gratuito, la vía de la solidaridad, la vía del misterio que no frena sino que abre a manifestaciones de la trascendencia.
28. *Ruáh*, espíritu, es en hebreo palabra femenina. Ver nota nº 26.

*potencian, hace que estas personas se conviertan en "Betanias" pues son personas que apuestan por mí.*

Reconocer en la propia vida quiénes han provocado sobre mí, el efecto "Pigmalión"[29]: *personas que han visto en mi una cualidad y con su manera de ser han hecho que me potencie al máximo. Personas que me han desarrollado todo lo que tengo. Personas que han creído cosas que yo mismo no había creído y le dieron vida.*

Es decir, no hay crecimiento, si no hay acompañamiento de otros, y esto es lo que hacen los *"Pigmaliones"* en mi vida, despiertan aspectos vitales ocultos, descubren y limpian mi manantial, ayudar a sacar el pozo, impulsan a descubrir el lado positivo de las sombras para integrarlas, ayudan a sanar la herida, a descubrir desde allí la positividad. Los Pigmaliones en nuestra vida, no son sólo personas que nos han ayudado, que nos han tendido la mano, sino personas que han hecho una nueva escultura con nosotros, personas que de algo aparentemente sin forma han sacado algo positivo, lo mejor, lo más bello de mí mismo...

- Desarrollo una matriz que responda a:
  - *Personas que me han ayudado a crecer.*
  - *¿Qué necesidades he satisfecho con ellas?:* reconocer que esas personas han sido un empuje en mi vida psico-espiritual.
  - *¿Qué necesidades no pude saciar?:* ¿Les pude expresar todo lo que quería?
  - *¿Esa persona bloqueó que siguiera la relación? o ¿yo la rompí?*
  - *¿En qué me nutrió?*
  - *Características de esa persona.*
  - *¿Qué experimento?*
  - *Exploración.*

| Personas | Satisfice | No satisfice | Finalizó | | Me nutrió en | Características | Sensación | Exploración |
|---|---|---|---|---|---|---|---|---|
| | | | Ella | Yo | | | | |
| | | | | | | | | |

- Hacer el ***NER.***
- Compartirlo en el grupo de vida y luego en el grupo plenario.

29. En la *Metamorfosis*, Ovidio cuenta el mito de Pigmalión, rey de Chipre: esculpió una estatua de una mujer tan bella que se enamoró profundamente de ella, y fue tanto su amor que invocó a los dioses y la convirtió en una hermosa mujer de carne y hueso, con la que luego se casó y fue feliz.

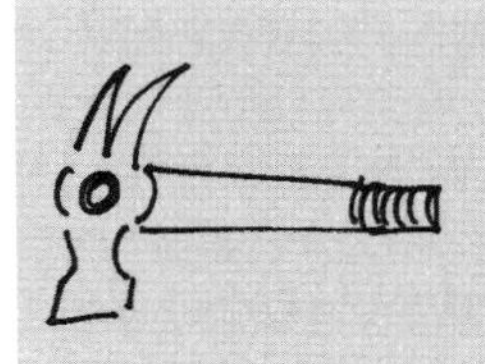

**HERRAMIENTAS TERAPÉUTICAS**
***El duelo de un ser querido***
*(Página 93)*
***¿Cómo integrar pérdidas y cambios?***
*(Página 95)*

**ACLARACIÓN TEÓRICA**
***Los sueños***
*(Página 166)*

**HERRAMIENTAS TERAPÉUTICAS**
***Análisis de los sueños***
*(Página 101)*

## Ejercicio 20: Si éste fuera mi sueño...

El objetivo de este ejercicio es entrenarse en la metodología de la propia interpretación de los sueños.

- En el grupo de vida, alguien cuenta un sueño... Los otros lo escriben. Luego, quien lo soñó lo cuenta nuevamente. Se da tiempo para preguntar más datos del sueño y/o aclarar.
- Cada uno se pregunta: "*si éste fuera mi sueño... ¿qué sentiría yo?*" Lo importante es implicarse... Se comparte lo que siente con este sueño.
- Se trabaja personalmente el sueño, empleando las diferentes llaves para desentrañarlo (por lo menos durante 45 minutos).
- Para finalizar se comparte en el grupo de vida: "*si éste fuera mi sueño, el mensaje de este sueño para mí, sería...*" El dueño hace constar lo que más le ayudó.
- Hacer el ***NER***.
- Compartirlo en el grupo de vida y luego en el grupo plenario.

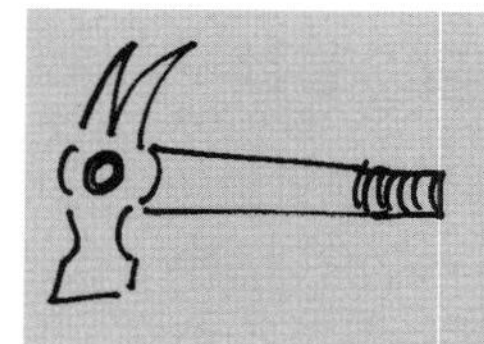

**HERRAMIENTA TERAPÉUTICA**
***Acoger a mi niño(a) herido(a)***
*(Página 104)*

## Ejercicio 21 Ejercicio de recuperación y decisión de vivir

El objetivo de este ejercicio es integrar la experiencia del taller de crecimiento personal, en el ámbito de la experiencia de vida y en el de la teoría (herramientas terapéuticas y complementos teóricos).

- Releer el trabajo de estos días y puntualizar:
  - * Metodología: *¿qué metodologías aprendí? ¿cómo puedo emplearlas?*
  - * Actualizarme en mis aspectos negativos: *¿en dónde estoy con relación a mi herida, mis culpas, mis miedos, mis compulsiones, mis sombras...?*
  - * Actualizarme en mis aspectos positivos: *¿cómo estoy hoy con mi pozo, con mi manantial?*
  - * *¿Cómo está mi decisión de cambio y crecimiento* ***desde*** *mi manantial y mi pozo?*
  - * ¿Qué pasos concretos tengo que comenzar a dar?
- Hacer el ***NER.***
- Compartirlo en el grupo de vida y luego en el grupo plenario.

**ACLARACIÓN TEÓRICA**
***Crecer bebiendo del propio pozo***
*(Página 182)*

# Herramientas terapéuticas

# 4

La herramienta terapéutica fundamental es **la totalidad del taller**: la secuencia de los ejercicios de interpelación, más la aplicación de la metodología y los ejercicios corporales de apoyo (T'ai Chi y bionergética) empleados para la asimilación del proceso, y la consecución del fin propuesto.

Sin embargo, se presentan a continuación unos ejercicios que por tener una función curativa que abre a la vida y da siempre nuevos elementos, se han llamado *herramientas terapéuticas*. Son ejercicios que facilitan el proceso de descubrir y sanar la herida, y el proceso de reconocer y potenciar el manantial; de allí su papel de instrumentos terapéuticos. Son herramientas que ayudan a modificar la memoria de las sensaciones en el cuerpo.

Se presentan como herramientas terapéuticas porque son medios para apoyar este proceso de reconocimiento e integración personal, pero también son herramientas que sirven de ayuda en el ulterior proceso de crecimiento.

## EJERCICIOS DE T´AI-CHI

El Tai-Chi es un sistema de movimiento de energía, originario de China. Sirve para liberar y armonizar la energía corporal. En sí mismo es muy complejo. Se hará una presentación muy sencilla, sin perder su espíritu. Son diferentes ejercicios que ayudan a relajarse y armonizarse energéticamente, expulsando la energía negativa, y recibiendo energía positiva, llenándose de ella.

Se debe trabajar siempre, en primer lugar con la parte izquierda del cuerpo: representa aquí la dimensión personal. Luego se trabaja con la parte derecha: representa la dimensión colectiva.

Tienen además una parte de expresión de agresividad –masculinidad– (movimiento hacia delante) y otra de receptividad y pasividad –feminidad– (movimiento hacia atrás).

Se presenta solamente la secuencia de ejercicios sugerida, dándole a cada uno un nombre que lo describa rápidamente y ayude a recordarlo con facilidad[30].

1. El calentamiento: pintar el mundo.
2. Preparación para el vuelo.
3. Sacar lo negativo y recibir lo positivo.
4. El baño con la energía.
5. El plato: pido lo que necesito.
6. El ser orante.
7. Nadando por las nubes, por encima de los problemas.
8. Ver pasar las nubes, es decir, ver pasar los problemas y dejarlos ir.

30. Una presentación sencilla y más detallada de estos ejercicios puede consultarse en: Manual de CAPACITAR –un proyecto internacional de fortalecimiento y solidaridad–, guía para talleres, dirigido por Pat Cane, sin ed. 1994. También allí se encontrarán ilustraciones y fotografías que aclaran. Cfr. AL CHUNG-LIANG HUANG *La esencia del T'ai Chi*, Sirio, Málaga, 1994, p. 281.

9. Acariciar la cola al quetzal.
10. Apertura de oídos y mente.
11. El aporte personal.
12. Limpiar la mesa.
13. El globo.
14. Frotar las manos para medir el alcance de la energía personal.
15. Frotar las uñas de las manos, y dejar los brazos extendidos hacia abajo, para sentir la energía personal proyectada hacia la tierra.
16. Bendecirse unos a otros, por parejas, con la energía.
17. Despedida.

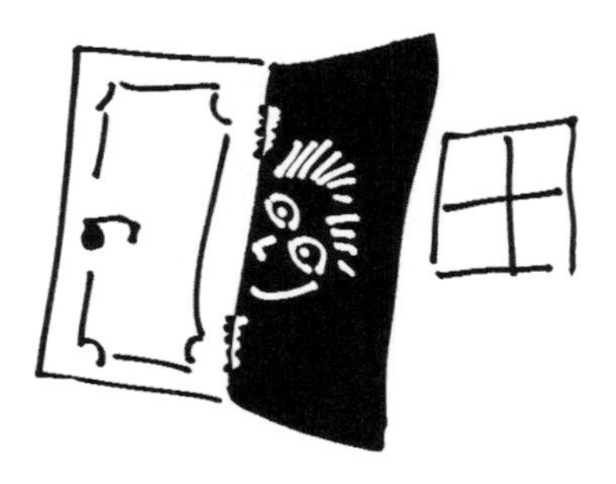

## ¿QUÉ ME HABITA?

El ejercicio del *"¿qué me habita?"*[31] es camino del proceso curativo. Esta herramienta terapéutica consiste en un análisis con profundidad para aprender a nombrar y a manejar las sensaciones que se experimentan en diferentes momentos, y llegar hasta aquello que las causa[32].

1. ***Conectarse consigo mismo:*** tomar una posición que permita tener un círculo cerrado de energía. Pies sobre la tierra, manos sobre las piernas, respiración profunda que haga que el aire llegue hasta el estómago.
2. ***Hacer el inventario***: con los ojos cerrados se hace el inventario de lo que pasa por dentro: ideas, imágenes, voces, sonidos, dolores físicos, sensaciones...
   Hay que tener claro que para trabajar no ayudan las imágenes, ni las ideas... Hay que ir a la sensación que eso produce. Puede ayudar preguntarse: *¿qué sensación me produce esta imagen?* Siempre hay que ir a la sensación que provocan las imágenes y las voces.
3. ***Ser escogido por la sensación***: dejarse escoger por una sensación... ¿Cuál se me impone? ¿Cuál me está diciendo "yo, yo, yo..."?
   No se puede trabajar con algo artificial... tiene que ser con la sensación que se impone... tiene que ser con algo que tenga resonancia corpórea, no con una idea.
   Se requiere tener los ojos cerrados o entornados (entreabiertos).
4. ***Volumen y ancla***: una vez que entro en contacto con la sensación, se le da todo el volumen que se pueda para hacerla crecer. Como si se pusiera bajo

31. Presentación libre y combinada de un instrumento típico del *PRH*. Cfr. F.P.M. 17, 1983 / F.P.M. 21, 1983. Véase también la nota nº 5.
32. Véase aclaración teórica: *La sensación*, p. 110.

la lente de un microscopio: puede verse más grande y con detalles. Para esto se utiliza la hiperventilación (respiración rápida con nariz y pecho, no con el vientre) si es una sensación negativa, o la respiración honda (con boca y estómago) si es una sensación positiva.
También puede ayudar hacer los ruidos propios que acompañan a dicha sensación (quejidos, sollozos...). Es como cuando se hace un ruidito para hacer que un niño orine.
Escoger un ***ancla****... ¿en dónde en mi cuerpo está resonando esa sensación?* Ayuda tocar (*colocarme la mano*) ahí donde se siente la sensación.
El ancla hace que un bote en el mar, por mucho que se mueva, no salga de un perímetro... Eso mismo pasa con el ancla corpórea: ayuda a mantenerse en la sensación cuando se quiere ir a las ideas, a la lógica de la razón.
Es necesario tener en cuenta que tanto el ancla como la sensación pueden desplazarse horizontal o verticalmente: a otras partes del cuerpo, o a otros acontecimientos diferentes a los que provocaron la sensación. Lo importante es dejarse llevarse por ella.

5. ***Arte de maniobrar la sensación:*** se explora la sensación... se estira... Es como si se estuviera amasando en una piedra de moler o un metate[33].
En este momento se empieza a **escribir** (o grabar)... dejarse llevar... sin levantar los ojos ni el lapicero... sin detenerse.
Ayudan estas preguntas:
   - *¿Qué siento?*
   - *¿Cómo lo siento?*
   - *¿En dónde lo siento?*
   - *¿Hasta dónde lo siento?*
   - *¿Qué es?*
   - *¿Quién es?*

Se pueden hacer todas las preguntas que se quieran menos *¿POR QUÉ?* Ya que esta lanza a la lógica racional, y no ofrece novedades. También hay que evitar el "porque...", ya que también es una explicación de tipo mental.
No se pueden usar los verbos de la lógica racional: quiero, pienso, creo –como pienso–, digo... ¡Hay que evitarlos siempre!

33. Piedra de moler: instrumento prehispánico de piedra que sirve para moler semillas (especialmente de maíz o chocolate). Consta de una superficie cóncava y un "brazo" o "mano" en forma de cilindro. En México y algunas partes de Centro América es llamado *metate*, palabra que proviene del Nahuatl.

Procurar más bien, el empleo de los verbos de la lógica de la sensación, del cuerpo: siento que…, me gusta, me duele... experimento, me llega, sufro con, estoy harto de…

También se pueden usar circunloquios (darle vueltas a la cosa) "*es como si…*".

Las preguntas son para ayudar… Son como un manojo de llaves: no se ensayan todas sino las que se parecen a las chapas o cerraduras. Se usan cuando hay atoramiento o empantanamiento.

Para ir más allá y "recoger" lo que tal vez ha quedado por los lados de la piedra de moler (como una espátula), ayuda preguntarse *"¿qué es lo más feo (bonito) de esta sensación? o ¿cómo me sentiría si no hubiera esta sensación?"*.

6. ***Cambio de plano***: Con esto se trabaja y se hace que la sensación lleve a otros planos, al pasado…Para hacer estos ahondamientos e ir más al pasado ayuda preguntarse *"¿Cuándo experimenté esto antes? ¿en qué otra ocasión experimenté algo similar? ¿en qué otro momento me he sentido así?"*.

   Así se puede dar cambio de plano y pasar a una etapa anterior. La clave de que se está haciendo bien este cambio de plano, está en que se llegue a hablar, como si fuese en presente, de las cosas que sucedieron en otro momento, pues el inconsciente no tiene pasado, es actual siempre; es necesario que se sienta el pasado en el hoy.

   Se va cambiando de plano hasta donde lo permita la sensación: el objetivo es ir cada vez lo más profundo posible, para ir buscando el camino hacia la herida, hacia la parte vulnerada y permitir un drenaje. Este drenaje tiene algo de desahogo, pero si también me da una luz sobre las causalidades sé que estoy haciendo ya un análisis con profundidad.

7. ***Aprendizaje***: cuando ha cesado la sensación se deja de escribir, se separa el cuaderno y se hace una revisión del texto. Se analiza –ahora sí– con la lógica de la razón. Se hace el ***NER***. *¿Qué aprendí?* Siempre hay que sacar un buen ***NER*** y puntualizar además *¿qué camino se me abre para seguir?, ¿qué tarea se me impone en sí misma?* (no la que yo me imagino).

## ¿Cómo se escucha un "qué me habita"?[34]

Este ejercicio se puede compartir en grupos de vida, pues cuando se expresa, en público, lo que aconteció en un "*¿qué me habita*?", se puede ir más adentro, hacia el punto de emisión de la herida. Cuando se comparte en el grupo,

34. Cfr. PRH. F.P.M. 18, 1983.

se LEE lo escrito. El grupo hace que se profundice más y refleja cosas que quien hizo el ejercicio, posiblemente, no vio.

También allí se puede revisar la metodología, pues si se maneja bien el método, se puede aprender a *ayudar a que me ayuden...*

Existen unos puntos básicos a los que se debe poner especial atención, cuando se oye el compartir de este ejercicio:

- ¿Ha nombrado bien la sensación compartida? ¿Tiene identidad?
- ¿Vivió la sensación sin despegarse de ella, es decir, *sintiéndola, expresándola,* o "habló" de la sensación?
- ¿Se estableció claramente el ancla, la repercusión corpórea? ¿sus desplazamientos?
- ¿Cuánto profundizó en la exploración de la sensación? ¿cómo lo hizo? ¿en qué se refleja esto?
- ¿Hubo cambio de plano?
- Estuvo constantemente en estado de cuestionamiento con preguntas directas, y con preguntas implícitas que van más allá de lo evidente...
- ¿Formuló bien sus propias preguntas? ¿usó adecuadamente los verbos y adverbios de la lógica de la sensación?
- ¿Excluyó realmente el por qué y el porque?
- ¿Encontró algo nuevo, inesperado, cuestionante? ¿en qué momento?
- ¿En el momento de compartir, lo hace desde la sensación? ¿Puede constatarse esto con el tono de voz, la dirección de la mirada, la actitud corporal?
- ¿Estableció claramente el ***NER***?

Hay que saber que una cosa es trabajar bien en el ámbito personal un *¿qué me habita?,* y otra es el arte de compartirlo desde la sensación. Hay que saber valorar las dos cosas.

La ventaja de compartir en el grupo de vida desde la sensación, es que alguno de los participantes haga de "piedra de moler", facilitando que se ahonde, se profundice y se analice la sensación[35]. Esto facilita la comprensión del focusing.

35. Ver complementación teórica: *¿Cómo se comporta un grupo de vida?,* p. 112.

## LA POSTURA CORPORAL

Este es un ejercicio bioenergético que puede emplearse para expresar con el cuerpo las posturas escondidas que se enmascaran de alguna manera con posturas "más aceptables" pero encubridoras. Estas posturas fundamentalmente son negativas, pero, también se puede hacer que se potencien fuerzas vitales y cambie la propia estructura: de la negativa a la positiva, de la tensionada a la distendida. De esa manera se pueden enfrentar las diversas situaciones de la realidad: las relaciones, la sexualidad, la vivencia de un día, la actitud fundamental ante la vida, la postura ante la autoridad, etc. con una actitud corpórea diferente.

Ayuda tener clara la representación que tienen en el cuerpo lo femenino y lo masculino[36]:

---

36. Cuando hablamos de parte *femenina* y parte *masculina*, aludimos a una connotación que va mucho más allá de la diferenciación fisiológica entre el varón y la mujer. Hacemos referencia a la naturaleza femenina y la masculina de los sentimientos y los diversos fenómenos mentales: ideas, visualización, creencias, lógica, razón, intuición, etc. Ambas naturalezas coexisten en todas las personas y matizan su manera de relacionarse consigo mismas, con el mundo y con las demás personas; es la definición fisiológica del sexo la que potencia la supremacía de alguna de las dos naturalezas, permaneciendo la otra siempre presente. Los avances en la neurofisiología han permitido descubrir que los hemisferios cerebrales funcionan de manera diferente: el hemisferio izquierdo tiende hacia un modo más convencional, lineal y lógico de cognición (funciones de naturaleza masculina), codificando las entradas sensoriales en términos de descripciones lingüísticas; y el hemisferio derecho hacia una forma de pensar más relacionadora e intuitiva codificando las entradas sensoriales en términos de imágenes (funciones de naturaleza femenina). Al cruzarse las vías nerviosas de los hemisferios (el hemisferio derecho irriga la parte izquierda del cuerpo y viceversa), estas naturalezas femenina y masculina también quedan referidas en el cuerpo al lado contrario que las representan en los hemisferios cerebrales. Cfr. MOORE, John, *Sexualidad y espiritualidad: la relación femenina-masculina*, Cuatro vientos, Santiago de Chile, 1994, p. 281. También: SANFORD, John, *El acompañante desconocido. De cómo lo masculino y lo femenino que hay en cada uno de nosotros afecta a nuestras relaciones*, Desclée De Brouwer (Serendipity), Bilbao, 1998.

* Parte izquierda: es *mi* parte ***femenina*** (intuición, creatividad, sensibilidad). También representa en cada uno la relación con la mamá, con las mujeres.
* Parte derecha: es *mi* parte ***masculina*** (racionalidad, lógica). También representa en cada uno la relación con el papá, con los hombres.

1. ***Expresión de la postura negativa***: ¿de lo vivido en el día, o a raíz de cierto ejercicio, o respecto de alguna realidad específica, cuál postura subyace en el cuerpo como de actitud negativa? Dejar que sea el cuerpo el que la exprese.
2. ***Tensionar y aflojar la postura negativa***[37]:
   * *Se tensiona la postura... más... más... lo más que se pueda.*
   * *Se regresa lentamente a la posición inicial.*
   * *Otra vez se deja surgir la postura corporal negativa... se tensiona... se relaja poco a poco... totalmente.*
3. ***Expresión de la postura positiva:*** ¿qué actitud corpórea de vida, de positividad, de "déjenme vivir" expresa el cuerpo como contraria a la postura anterior?

---

Aun cuando esta concepción denota, a nivel teórico, como dice Nelson, "una obsolescencia intrínseca" (Cfr. NELSON, James, "Abrazar la masculinidad" en *La sexualidad y lo sagrado,* Desclée De Brouwer (Cristianismo y Sociedad), 1996, Bilbao, p. 320) no deja de tener, sin embargo, puntos todavía valederos y sugerentes. Por eso los exponemos todavía aqui. Pero en el fondo la crítica a este tipo de "androginia" (la integración dentro de una persona de rasgos identificados tradicionalmente por los estereotipos de género como masculinos y como femeninos) opera con un supuesto que trae problemas serios, uno de los cuales es que los grupos de cualidades de los géneros son esencialmente diferentes. El supuesto, entonces, es que la auténtica masculinidad y la auténtica feminidad serían opuestos. De este supuesto se seguiría que para desarrollar lo femenino el hombre tendría que añadir, por ejemplo, algo profundamente diferente a lo que él es esencialmente (Véase, NELSON, J., *The Intimate Connection*, Westmister Press, 1988, p. 108). El tema, por tanto está todavía sujeto a investigación y discusión.
Por otra parte, estudios mucho más recientes demuestran que en la mujer la interrelación de los hemisferios, gracias a la peculiaridad del cuerpo calloso femenino, tiene mayor conexión (de los hemisferios entre sí), en forma diferente a la de los hombres y con desventaja para éstos. Esto permite suplencias de los efectos de un hemisferio al otro, en momentos de traumas o de necesidad. Con lo cual, todo lo que decimos sobre el simbolismo de la parte izquierda y derecha del cuerpo humano tiene que considerarse con más cautela.

37. Aunque esto es típico de W. Reich, ha sido Keleman quien mejor ha generado una metodología al respecto. Cfr. KELEMAN, Stanley, *La experiencia somática, formación de un yo personal*, Desclée De Brouwer (Serendipity Maior), Bilbao, 1997, p. 112.

4. ***Magnificar y suavizar la postura positiva:***
   * *Se exagera la postura… más… más… todo lo que se pueda.*
   * *Se regresa lentamente a la posición inicial.*
   * *Otra vez se deja que el cuerpo exprese la postura corporal positiva… se aumenta… se relaja poco a poco… totalmente.*
5. ***Incorporación de la postura positiva:*** hacer una especie de "baile" entre ambas posturas: de la negativa pasar a la positiva sin hacer corte, en forma consecutiva y suavemente... Se permanece y se goza en la postura positiva.
6. ***Finalización:*** caminar en silencio con los ojos cerrados… Tomarse con alguno de las manos… sentirse… Ayuda compartir con otro(s): se dialoga en forma espontánea sobre la vivencia.
7. *NER*.

## EJERCICIOS BIOENERGÉTICOS

Hay muchos medios de liberar la tensión: estiramiento, presión, masaje, vibración e intensificación[38].

*Ejercicios musculares:* son los más invasivos y sólo deben usarse con ciertas estructuras corporales, cuando la *armadura crónica* (estructura básica) se resiste a otros métodos. Un acercamiento muscular es igual a la manipulación directa de los músculos por medio de masajes profundos.

*Ejercicios energéticos:* similares a la acupresión. Según esta teoría la energía se mueve a lo largo de canales llamados meridianos que pueden ser activados por la presión del dedo aplicado a puntos específicos de los canales. Sirven aquí las técnicas de polaridad y los masajes de acupresión[39].

*Movimientos estresantes:* se induce el desbloqueo de la tensión mediante ejercicios que intensifiquen (estresando) la postura de los músculos[40].

*Ejercicios bioenergéticos:* hacen referencia, fundamentalmente, a la postura corporal constreñida: Permiten liberar emociones porque reflejan lo que se está sintiendo: un gran dolor, una inmensa cólera, una profunda opresión, un deseo de libertad... Se trata de expulsar la energía negativa, exagerando algunos movimientos. Pero también permiten percatarse de la postura corporal liberada.

Todos estos ejercicios pueden desembocar en que la persona se experimente invadida por una sensación que la conduce más adentro, hacia fuentes escondidas de su situación. En tal caso, conviene explorar esa sensación hasta donde se pueda y dé de sí. Esto se hará mejor con un acompañante que le impida extraviarse o ensimismarse. Un *focusing*[41] puede ser una buena herramienta para este trabajo de exploración de la sensación.

38. Cfr. ROSENBERG, Jack Lee, et al., *Body, Self and Soul: sustaining integration*, Humanics Limited, Atlanta, 1991, p. 335.
39. CAPACITAR, op. cit.
40. Véase la herramienta terapéutica: *La postura corporal*, p. 70.
41. Véase a continuación esta herramienta terapéutica.

Estos son algunos ejercicios que permiten sacar la cólera[42] ayudados por movimientos corporales y sonidos[43]:

* *Pataleo (berrinche):* la persona acostada en un colchón, preferiblemente en el suelo u otra superficie dura, hace un manoteo fuerte de pies y manos con un grito de NOOOO... Entre tanto, se concentra en esas imágenes o pensamientos que quiere rechazar.
* *Retorcer una toalla:* coger una toalla y exprimirla con fuerza, simbolzando en ella lo que se quiere acabar... Se verbaliza el sentimiento en expresiones concretas de destrucción.
* *Golpear el colchón:* hincados a la orilla de la cama, en el suelo, golpear con fuerza el colchón con ambas manos. Acompañarlo de sonidos o expresiones que signifiquen el sentimiento de cólera, o de cólera-tristeza que se quiere descargar.
* *Estresar la tensión:* dejar que el cuerpo refleje la postura que expresa físicamente lo que se está sintiendo, la postura constreñida *(como encogido, como con un peso encima, como amarrado...),* para exagerarla y destensionarla sucesivamente.
* *Magnificar lo vital:* es un ejercicio semejante al anterior, pero con respecto a la postura positiva. El cuerpo expresa la sensación de vitalidad *(como sin ataduras, con ganas de volar...)* y se magnifica, se aumenta exageradamente la posición, luego se regresa a la posición natural en forma suave, estableciendo una secuencia Puede también hacerse pasando de la postura constreñida a la liberada consecutivamente.
* *Lanzarse al vacío:* tirarse desde lo alto de espalda, sobre una colchoneta. Es una manera de expresar corporalmente lo que significa *lanzarse hacia el futuro.* Es un ejercicio que enseña a entregarse, a morir.

Hay otros ejercicios corporales que son útiles para conectarse con la realidad porque ayudan a "tocar tierra". Son especialmente útiles para personas de carácter esquizoide[44]:

* *Arco convexo:* con la boca entreabierta, los pies separados, las puntas volteadas ligeramente hacia dentro y las rodillas un poco flexionadas, colocar las manos empuñadas en la parte baja de la columna, sobre la

---

42. Generalmente el proceso de la herida, la formación de toda la parte vulnerada, ha tenido como consecuencia una gran acumulación de cólera y de dolor. Es necesario desbloquearla para permitir el drenaje de la herida.
43. LOWEN, Alexander y LOWEN, Leslie, *Ejercicios de bionergética*, Sirio, 2ª ed., Málaga, 1990, p. 211. RAMÍREZ, J. Agustín, *Psique y Soma. Terapia Bioenergética*, Desclée De Brouwer (Serendipity Maior), Bilbao, 1998.
44. Ídem.

cadera. Inclinar el tronco hacia atrás haciendo un arco, hasta que se perciba una vibración en las piernas y el cuerpo. Dejar salir los sonidos que broten.

* *Arco cóncavo:* con la boca entreabierta, los pies en la misma posición del anterior, pero en cuclillas y con las manos tocando tierra, irse levantando lentamente hasta estirar completamente las piernas sin dejar de tocar tierra con las manos y la planta del pie. Si surge algún sonido, dejarlo salir.

## FOCUSING DRENANTE

El objetivo de este ejercicio[45] es enfocar lo que verdaderamente pasa e ir a la causa profunda; es permitir que se exprese con el cuerpo lo que se está sintiendo. Es una especie de *"¿qué me habita?"* pero en compañía, en el que se ayuda al otro a "enfocar" haciéndole preguntas para llevarlo a que sienta y toque el fondo: hasta donde probablemente se originó la primera herida.

Los beneficios del focusing residen en que:

* Hay otro que ayuda a entrar en profundidad.
* Permite identificar la causa primera de la herida.
* Ayuda a modificar el cuerpo frente a ésta.
* Reduce el problema a un tamaño manejable.
* Propicia el resultado ideal: aprender a manejar lo que no se puede modificar, y reducir y quitar lo que puede desaparecer.

Se sugiere que antes de iniciarse haya un momento de diálogo entre acompañado y acompañante, en el que se comparta la parte del proceso personal (heridas, miedos, etc.) en la cual se está en ese momento y que se quisiera trabajar con este ejercicio, sabiendo que finalmente será la sensación la que tomará la hegemonía.

Es conveniente estar lo más ligero de ropas que sea posible, para que el acompañante tenga mayores posibilidades de leer el cuerpo y pueda así ayudar mejor, reflejando lo que acontece.

Es necesario tener en el cuarto donde se realiza el focusing, toallas, cojines, colchón, y/o elementos similares, que puedan ser facilitados al acompañado en caso de que requiera expresar cólera, dolor, sufrimiento...

---

45. Presentación libre del instrumento de Gendlin. Se incorporan elementos de la bionergética y del *PRH*.

Máximo debe durar una (1) hora la sesión de Focusing: cuando hayan transcurrido cuarenta y cinco (45) minutos aproximadamente, debe empezarse el proceso de la sutura[46].

1. ***Conectarse consigo mismo:*** se inicia con una postura que establezca un cierre de energía: ojos cerrados, acostado boca arriba, sin almohada, sin zapatos, con las rodillas dobladas y la planta de los pies apoyadas en el suelo (o el colchón).
   Se hace respiración profunda (con la boca y el estómago)... cuando haya conexión con la sensación puede haber movimiento y cambio de postura.
2. ***Reconocer la sensación:***
   * Se hace el inventario de *"¿qué me habita?"*: es decir, el inventario de las sensaciones negativas (son las que se van a trabajar preferiblemente en este momento). Cuando la persona dice que es "pura paz" lo que experimenta, sirve preguntarle: *"¿realmente es sólo paz lo que sientes?"*. Lo que se está buscando en este ejercicio es trabajar con la sensación negativa.
   * Se identifica cuál es la sensación que pide ser trabajada: **se le aumenta el volumen** a la sensación hiperventilando (respirando aceleradamente preferiblemente con la nariz y el pecho).
3. ***Reconocer el ancla:*** *¿dónde sientes la sensación en tú cuerpo?* Siempre hay que estarla persiguiendo. Hay que reconocerla[47]. La sensación puede desplazarse en horizontal o en vertical. Puede haber cambio de ancla, por eso es importante mantenerla siempre identificada. Para tener identificada el ancla, ayuda colocarle un nombre, que sirva de asa: *"... es como miedo"*.
4. ***Explorar la sensación:*** se hace el proceso de maniobrar la sensación (la "piedra de moler"[48]): se explora la sensación ayudándose de este tipo de preguntas: *¿qué sientes? ¿cómo lo sientes? ¿en dónde lo sientes? ¿hasta dónde lo sientes? ¿qué es? ¿quién es?* Se pueden hacer todas las preguntas que se quieran menos **¿por qué?**
   Las preguntas son para ayudar... Son como un manojo de llaves: no se ensayan todas sino las que se parecen a las chapas o cerraduras. Se usan

46. La sutura es la metáfora que empleamos para explicar el momento de culminación del ejercicio: ***los hilos*** son los elementos positivos que se han dado (sensaciones positivas, modo de luchar en el ejercicio, zona liberada en el cuerpo), ***la aguja***, la respiración profunda. Para esto, ayudan herramientas terapéuticas como la nube, la armonización, acoger a mi niño herido y hacer el duelo. Todas estas herramientas están presentadas en ésta cuarta parte.
47. Véase la herramienta terapéutica: *¿Qué me habita?*, p. 66.
48. Véase nota nº 33.

cuando se ve que la persona está atorada o empantanada en la expresión de la sensación.

Evitar que se usen los verbos de la lógica racional: quiero, pienso, creo (como pienso), digo... Procurar el empleo de los verbos de la lógica de la sensación, del cuerpo: siento que..., me gusta, me duele... experimento, me llega, sufro con, estoy harto con... También se pueden usar circunloquios (darle vueltas a la cosa con las palabras) *"es como si..."*.
Recoger y continuar... *"¿qué es lo más feo de esta sensación?"*.

* Se emplean los ejercicios de bioenergética para ayudar a drenar la herida, para ayudar a expresar la sensación, para ayudar a liberar la cólera y la tristeza.

5. ***Cambio de plano hacia el punto de emisión:*** el cambio de plano se da cuando se baja a experiencias anteriores a la que se está trabajando: *¿cuándo más has experimentado esta sensación?...*
Se sabe que hubo cambio de plano cuando se habla en presente de la situación pasada. Si la persona está hablando en pasado, puede hacérsele notar. El objetivo es ir llevando al cambio de plano hasta que se llegue al punto de emisión para que drene la herida y cambie la actitud.

6. ***Suturar:*** ¿cuándo terminar el focusing? La *sutura*[49] se comienza cuando ya haya habido desahogo y haya material para hacer el ***NER***, es decir, se haya llegado a un punto de clarificación sobre algo de lo que se sentía al comienzo.
La "*sutura*" se hace desplazando, a todo el cuerpo, la fuerza que se puede sentir en un punto del cuerpo, o se hace con las fuerzas positivas que se han manifestado en el mismo proceso: capacidad de luchar, deseo de vivir... La sutura se hace con ***"hilo de la misma tela":*** lo que manifestó de elementos (sensaciones, voces, imágenes) positivos, las fuerzas que mostró y/o los territorios del cuerpo que tienen actualmente vida; la ***"aguja"*** para suturar es la respiración profunda.
Puede hacerse también con herramientas terapéuticas como *"la nube"*, *"la armonización"*, *"acoger a mi niño herido"*[50].

7. ***Finalización:*** el acompañante orienta la finalización del ejercicio invitando al acompañado a contar regresivamente de 10 a 1, para abrir los ojos. Sirve para esto cambiar el tono de voz y eventualmente hacer algún ruido.

---

49. Véase nota nº 46.
50. Todas ellas presentadas más adelante.

Para levantarse, se sugiere que la persona se coloque boca abajo y se incorpore lentamente, levantando la cadera y doblando las rodillas.

Para el ***NER*** de esta herramienta, es necesario ver qué se aprendió sobre la herida, cómo se articula esto con los otros ejercicios, qué reveló el focusing sobre los miedos, las compulsiones, y las reacciones desproporcionadas. Así mismo, qué tarea debe seguir realizándose.

Este ejercicio tiene tres frutos muy importantes: primero, permite la catarsis porque se saca lo que estaba haciendo daño, lo que estaba envenenando por dentro; segundo, permite hacer un análisis (***NER***) sobre sí mismo que facilita el crecimiento; y por último, genera un cambio en el cuerpo. Los datos reales no cambian, cambia la actitud corpórea respecto a ellos.

## FOCUSING INTEGRADOR

El objetivo de esta herramienta[51] es enfocar y extender las sensaciones positivas en el cuerpo. Ayuda a agrandar el pozo, a potenciar cualidades, a darse tiempo a sí mismo, a limpiar el manantial[52].

El focusing positivo ayuda a ser introducidos en el "agua viva" que es la presencia de Dios en lo más íntimo de la propia intimidad[53]. Esto en sí mismo, ya es un regalo de Dios.

El papel del acompañante en este tipo de focusing es, principalmente, ayudarle al acompañado a mantenerse en las sensaciones: ayudándole a subir el volumen y a reconocer el ancla, para profundizar, porque es más sutil. Debe vigilarse que no se vaya a lo negativo.

Hay que tener en cuenta que siempre hay sensaciones positivas, a menos que se tenga una psicopatología, Por eso, siempre es posible hacer un *focusing* positivo.

1. ***Conectarse consigo mismo:*** se inicia con una postura que establezca un cierre de energía: ojos cerrados, acostado boca arriba, sin almohada, sin zapatos, con las rodillas dobladas y la planta de los pies apoyadas en el suelo (o el colchón).
   Se hace respiración profunda (con boca y estómago)... cuando haya conexión con la sensación puede haber movimiento. Y cambio de postura.
2. ***Reconocer la sensación:***
   * Se hace el inventario de *"¿qué me habita?"*.
   * Se identifica la sensación positiva que pide ser fortalecida: **se le aumenta el volumen** a la sensación ayudándose de la respiración pro-

51. Martin SIEMS en su libro *Tu cuerpo sabe la respuesta,* Mensajero, Bilbao, 1991, p. 200, trata este aspecto del focusing.
52. Véase aclaración teórica: *El pozo y el manantial,* p. 161.
53. Véase ejercicio de interpelación: *Dios lo más intimo de mi intimidad,* p. 58.

funda y no con la hiperventilación. Se hace crecer respirando más hondo...

3. ***Reconocer el ancla:*** *¿dónde sientes la sensación en tu cuerpo?* Siempre hay que estarla persiguiendo. Hay que reconocerla[54]. La sensación puede desplazarse en horizontal o en vertical. Puede haber cambio de ancla, por eso es importante mantenerla siempre identificada.
4. ***Explorar la sensación:*** se hace el proceso de maniobrar la sensación (la "piedra de moler"[55] en positivo). Se explora la sensación ayudándose de preguntas ubicativas y aclaratorias: *¿qué sientes? ¿cómo lo sientes? ¿qué es lo que más te gusta? ¿cómo es tu nuevo cuerpo?* Se pueden hacer todas las preguntas que se quieran menos **¿por qué?**
   Evitar que se usen los verbos de la lógica racional: quiero, pienso, creo (como pienso), digo... Procurar el empleo de los verbos de la lógica de la sensación, del cuerpo: siento que..., me gusta, me duele... experimento, me llega, sufro con, estoy harto con...También se pueden usar circunloquios (darle vueltas a la cosa con las palabras) *"es como si..."*.
   Recoger y continuar... *"¿qué es lo más bonito de esta sensación?"*.
5. ***Cambio de plano hacia el manantial:*** el cambio de plano se da cuando se baja a experiencias anteriores a la que se está trabajando*: ¿cuándo más has experimentado esta sensación?...* Ir descendiendo del pozo hasta el *manantial.* El objetivo es ir llevando al cambio de plano hasta que se llegue al *manantial,* para descubrirlo, apreciarlo, potenciarlo, sumergirme en él.
6. ***Difusión de lo positivo:*** desde ahí ver la parte herida... desde la positividad ver la negatividad, preguntar por la herida. Ayudar a integrar cosas del pasado.
7. ***Finalización:*** el acompañante orienta la finalización del ejercicio invitando al acompañado a contar regresivamente de 10 a 1, para abrir los ojos. Sirve para esto cambiar el tono de voz y eventualmente hacer algún ruido para evitar el ensimismamiento evasivo.

Para levantarse, se sugiere que la persona se coloque boca abajo y se incorpore lentamente, levantando la cadera y doblando las rodillas.

Para el ***NER*** de esta herramienta, es necesario ver qué se aprendió sobre el pozo y el manantial, sobre la capacidad de comprometerse con el propio proceso de crecimiento. También los pasos ulteriores que se deducen de todo este proceso.

54. Véase la herramienta terapéutica: *¿Qué me habita?"* p. 64.
55. Véase nota nº 33.

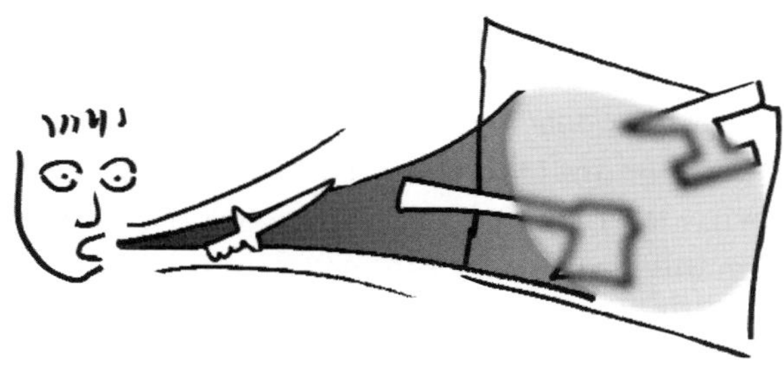

## HACER UNA NUBE

Este es un ejercicio[56] para objetivar las sensaciones dándoles una forma (visual y/o auditiva), para airearlas y poderlas dominar y controlar, para sacarles el mensaje. Es ideal para suturar: para cerrar o redondear una situación (por ejemplo el focusing), y para integrar sombras (una parte del cuerpo que no es aceptada, una cualidad que no se ha logrado descubrir, un evento o un suceso que no se acaba de asumir).

Tiene un triple objetivo:

✓ Ventilar algo negativo.
✓ Sentir que soy dueño de la situación.
✓ Captar lo positivo de lo que parecía sólo negativo: sacarle el mensaje.

Se hace con los ojos entornados porque no es para meterse en la sensación sino partir de ella para objetivarla.

1. ***Entrar en sí mismo:*** despojarse de lo que pueda distraer en el tiempo que se va a dedicar al ejercicio (aproximadamente media hora) y adoptar una postura confortable que permita conectarse consigo mismo, cerrando el círculo energético. Luego, se hace el inventario de lo que me habita.
2. ***Captación de la sensación:*** se capta la sensación negativa... se parte de algo que está molestando, de algo que es como una piedra en el zapato (puede ser un dolor físico)...
   Se le da volumen a la sensación, se intensifica respirando sobre ella, como si fuese un pulmón que se quiere llenar y luego vaciar.
   Después se le da una forma a la sensación *(es como un cuchillo, es como una sombra, es como...)* y se entreabren (entornan) los ojos para dejar salir, con ello, la imagen de la sensación, esto también me saca de ella, para poderla objetivar.

56. Presentación libre del instrumento presentado por MONBURQUETTE, Jean, op. cit.

3. ***Expulsión de la sensación fuera del cuerpo:*** ayudándose con la respiración (se expira con fuerza sobre las manos abiertas a la altura de la cara) se saca fuera la sensación y se visualiza frente a sí como a un metro de distancia (si se está acostado se visualiza en el techo): se ve con los ojos entornados. Es necesario abrir un poco los ojos para poder ver fuera la imagen de la sensación, para salirse de ella, para verle la forma, el tamaño y el color; eventualmente también para reconocer su sonido. Cuando se ve la imagen en forma magnificada se puede ver que *"yo no soy eso"*. Es decir, se logra separar la imagen de *"lo que yo soy"*.
4. ***Se maneja la imagen de la sensación:*** cuando se ha exteriorizado y visualizado la imagen, puede percibirse que se manda sobre ella. Como se le manda, es posible adueñarse de ella, jugar con ella, cambiarle el carácter hostil, enseñorearse de ella:
   * *Se le cambia la posición.*
   * *Se le cambia la forma.*
   * *Se le cambia el color.*
   * *Se le acerca y se le aleja.*
   * *Se le cambia el tamaño.*
   * *Se le pone música y ¡se le pone a bailar! Ponerle música a la imagen, permite ponerla a bailar al son propio... yo la mando, yo la manejo.*

Cuando se ha "manipulado" un tiempo la imagen de la sensación, se verifica que ha perdido hostilidad, magnitud y amenaza.

5. ***Ponderación del beneficio de esa imagen:*** cuando se le pierde el miedo, se le pregunta: *"¿qué mensaje tienes para mí, para qué me sirves, qué me quieres enseñar? ¿qué quieres hacer por mí? ¿de qué me quieres defender? ¿cómo me quieres ayudar tú?* Esperar la respuesta. Se le saca el mensaje que tiene, el dato positivo que nunca se le había escuchado, el regalo que trae.
   Luego se repite la respuesta con palabras propias para que la imagen se dé cuenta que se ha comprendido el mensaje. Se continúa el diálogo con esa parte de sí mismo tratándola ahora como un amigo.
   Es importante con este ejercicio, captar el mensaje de las cosas que duelen porque si no se les capta ese mensaje, no pueden integrarse nunca. Si no se saca el mensaje de las cosas que han pasado no se va a crecer jamás. Sólo cuando se le capta el mensaje a la sensación, puede integrarse o echarse fuera.
   Si no se oye su mensaje, por lo menos, se va dando un cambio del cuerpo respecto de *"eso"*, y el objeto va perdiendo carga de hostilidad.

6. ***La transformación del objeto negativo:*** se acerca esa forma simbólica a un metro de distancia. Poco a poco se va colocando en las palmas de las manos.
   Percibir cuán transformada está... Decidir si se reincorpora en el cuerpo, o si se lanza lejos de sí…
   Para echarla se sopla con la respiración y se tira lejos. Puede ayudarse con las manos, a alejarla, despidiéndola.
   Para integrarla se invita a entrar y se guarda en alguna parte del cuerpo. Se introduce con la inspiración de aire. Se invita a incorporarse iniciando por la cara, y se le acomoda donde se quiera que esté.
7. ***Incorporación de la nueva forma:*** se acaricia todo el cuerpo para hacerle caer en la cuenta de que algo nuevo hay en él. Se le dice al cuerpo que ya tiene una nueva manera de ser, que ya no tiene lo que le fastidiaba.
   Si la imagen nueva se integró, se hace que todo el cuerpo sienta que hace parte de él. Si se lanzó, que el cuerpo tome conciencia de ello: había algo molesto que ya no está presente.
   Luego, con las manos puestas en el vientre, se le pide al inconsciente que grabe esta nueva realidad.
8. ***Invocación a Dios:*** pedirle su ayuda para transformar toda esta experiencia en fuente de conocimiento, de crecimiento y de sabiduría personal.
9. ***Búsqueda de símbolo:*** después de percibir hasta qué punto esa sensación negativa se ha modificado, se busca un símbolo que represente externamente la nueva realidad, que exprese eso que ya se integró, que recuerde esta experiencia; que la evoque. Ojalá sea algo que pueda portar (un anillo, un adorno que pueda llevarse en el cuello, una pulsera) o que se pueda observar frecuentemente (un cuadro, una artesanía). La importancia del símbolo es proporcional a lo significativo de lo integrado.

## ARMONIZACIÓN

El objetivo de este ejercicio[57] es poder armonizar dos aspectos personales que no están integrados entre sí, y afectan porque son lastre o se viven en contradicción. Es importante tener bien claro qué se contrapone a qué, cuáles son esas dos partes que están en conflicto (dos cualidades, o una cualidad y un defecto). Es ideal para suturar después de un focusing.

Es un ejercicio para exteriorizar, para airear la desintegración que se ha vivido, e integrarla. Esta armonización es mejor hacerla con acompañante: en pareja o en grupo. Antes de comenzar, por tanto, se habla y se trabaja algo sobre las polaridades que se experimentan en estas partes o fuerzas que desean integrarse.

El papel del acompañante es hacer todas las preguntas necesarias para saber qué está pasando. Es como si la persona acompañada estuviera mirando por una ventana y la que la acompaña quisiera saber todo lo que está sucediendo fuera.

El ejercicio debe realizarse en una silla que tenga dónde apoyar los brazos.

1. ***Elección de las partes por armonizar:*** se escogen los elementos que la persona quiere integrar o armonizar. Pueden ser elementos positivos y negativos o sencillamente procesos o dinamismos desarticulados, antagónicos. Dos elementos que se quiere intentar armonizar porque se viven disociados: sexualidad / afectividad, docilidad / rebeldía, etc.
2. ***Identificación de las polaridades con el cuerpo:*** se colocan las manos sobre las rodillas, se ponen los pies sobre el suelo bien apoyados, y se deja que sea el mismo cuerpo quien señale qué brazo y mano (derecha-izquierda) representan una polaridad y cuál la otra.

57. Presentación libre del instrumento presentado por MONBURQUETTE, Jean, op. cit.

3. ***Descripción:*** sentado y con el codo apoyado sobre el brazo de la silla, se comienza girando la cabeza hacia el lado con el cuál se va a iniciar el trabajo, observando la mano continuamente. Se inicia el diálogo con la mano que está arriba, mirándola.
   Hay tres verbos importantes para este proceso: *ver, oír y dialogar.*
   * Hay que remontarse a la primera imagen, en la infancia, donde se origina lo que se está trabajando: recuerdo la primera escena *visual/auditiva/olfativa* donde se originó el fenómeno; *visualizo y describo con imágenes y sonidos el primer chispazo de mi vida en el que salió algo de eso.*
     Quien acompaña ayuda con preguntas como éstas:
     – *¿Cuántos años tiene el niño?*
     – *¿Cómo está vestido? ¿cómo es su vestido, su calzado, su peinado?*
     – *¿Qué está haciendo?*
     – *¿Con quién está?*
     – *¿Cómo es su cara?*
     – *¿Qué dice?*
     – *¿Qué se oye a su alrededor?*
   * Luego se *dialoga* con esa polaridad de la infancia, escuchando, en primer lugar, lo que dice el niño de la escena.
     – *¿Qué palabras dice ahora?*
     – *¿Qué le diría yo ahora?*
     Cuando se ha descrito completamente la escena, se deja descansar el brazo poniendo la mano sobre el hombro. Se coloca en alto la otra mano, y mirándola, se hace el mismo ejercicio de recordar la primera ocasión en la que se tuvo contacto con ese aspecto que se quiere armonizar.
4. ***Ponderación:*** después de la descripción, se pasa a la ponderación retomando la mano con la cual se empezó a trabajar. *¿Qué hubiera sido de mí si esta parte no me hubiera acompañado? Se le pregunta: ¿Cómo sería yo sin ti?*
   Dejar que ella responda... establecer un diálogo en el que se pondere su papel en la propia vida. El diálogo busca encontrar las razones profundas que generaron su postura, para que se comprenda ahora, cómo ella ha buscado siempre el propio bienestar.
   Saco todo lo positivo: *"sin ti, yo sería..."*. Luego se le agradece *"si tú no estuvieras yo no sería..."*.
   Descansar ese brazo y pasar a la otra parte: dialogar con la otra mano. Hacer el mismo proceso.
5. ***Ajuste de cuentas:*** se sigue el mismo esquema del paso anterior: primero una parte (mano) y luego la otra. Mutuamente, y en forma alternada, se

dicen también todo lo que se han problematizado. Todo el mal que se han causado. Todo el malestar que se han generado.

6. ***Momento del perdón:*** nuevamente se inicia el diálogo con la polaridad (mano) que se empezó a trabajar, y visualizando la escena **se le pide perdón** por no haberla comprendido, por no haber agradecido lo que ella ha dado, por no haberla tenido en cuenta; por las veces que se ha querido deshacer de ella.
   Se espera el perdón. Se dialoga sobre ello...[58]
   Se explora el nivel del perdón: *¿cómo siento que estoy en la capacidad de perdonar? ¿hay ánimo para el perdón?* ¿en una mano? ¿en la otra?
   Luego **se le da el perdón** a cada polaridad por todo lo que ha hecho de mal, por lo que ha hecho sufrir, por las cosas que ha hecho pasar. Se dialoga sobre ello.
7. ***Escenificación de la distancia y comienzo del encuentro:*** con las manos delante, como a medio metro de distancia, en alto, y separadas tanto cuanto la energía que salga de ellas quiera distanciarlas, sentir las fuerzas no integradas...
   Argumentar y decir que se han vivido separadas... Ver si se quieren juntar o no... No forzarlas... dejar que ellas se expresen. ¿Quieren unirse?
8. ***Ensamblaje o unificación:*** se toma el tiempo que sea necesario para contemplar ambos polos representados por los brazos y las manos. Ver cuánta riqueza, cuánto dinamismo se tiene en ambas partes. Cuántos recursos están siendo desaprovechados por vivirlos separadamente.
   Cuando se sienta oportuno, al ritmo personal, se deja que las manos se vayan juntando, casi sin pretenderlo. El pensamiento, mientras tanto, contempla las dos partes en su riqueza y en su estar separadas...
   Cuando se toquen las manos se entrecruzan los dedos lentamente. Una vez unidas las manos se colocan sobre el abdomen y se conecta con lo más profundo de sí mismo[59].

---

58. Este es un paso clave. Todo el fruto de la herramienta reside acá. Si este paso no se da de manera fluida, es conveniente interrumpir el ejercicio y trabajarlo por separado con un ejercicio del modo de *Hacer una nube.* Ayuda tener en cuenta el proceso del perdón y el autoperdón. Véase más adelante las herramientas terapéuticas: *El camino del perdón* y *¿Cómo perdonarme?*, y los complementos teóricos: *Dinámica del perdón* (p. 151) y *El autoperdón* (p. 155).
59. Si después de un tiempo prudencial las manos permanecen separadas, puede ayudar integrar hasta ese nivel, sabiendo que hay que volver a trabajar estas polaridades, sobre todo lo referente al ajuste de cuentas y el perdón.

9. ***Integración del inconsciente:*** abandonarse a la sabiduría del inconsciente que está actuando en este momento... él está operando ese trabajo de sutura profunda... Sin darse cuenta el inconsciente ha registrado esta nueva realidad en mi mismo. Confiar en las fuerzas personales que operan más allá de la propia conciencia. Dejar que esas partes se integren, se conozcan, se colaboren y se respeten mutuamente.
   Estas partes polarizadas van a seguir armonizándose siempre, en el transcurso de la vida: mañana, la semana próxima, el mes siguiente, en el futuro...
10. ***La fuerza integradora de Dios:*** llevar las manos al corazón y pedirle al Señor que sea Él quien integre estas partes, que Él restaure esa unidad fundamental, que *Él me haga sacar partido de tantas fuerzas que tengo. Que por lo menos esas partes puedan vivir en la calma y en la unidad dentro de mí.*
11. ***El gozo de la armonización:*** dejar un espacio grande para saborear este nuevo modo de ser en mí. Sentir que es algo que me pertenece, que nadie me lo puede quitar. Fijarse en dónde resuena esta unidad en el cuerpo. Luego, sin separar las manos de sí mismo, tocarse todo el cuerpo para que se haga consciente de esta nueva realidad... llevarlas nuevamente al corazón como símbolo de la armonía... Me gozo en ella, siento lo bonito de estar así.
12. ***La victoria pequeña sobre lo que hacía mal:*** visualizar algo o alguien que ha hecho daño o ha generado sufrimiento con respecto de lo que se está armonizando; caer en la cuenta de la nueva fuerza que se tiene para vivir, ***de otra manera***, los mismos acontecimientos. Mirar cuánto se le puede enseñar, cómo ahora no hace daño con sus acciones o palabras. Dialogar con eso que ha hecho tanto mal. Regresar al gozo de la armonización que se tiene ahora. Visualizarse actuando integradamente.
13. ***Selección del símbolo de esta armonización:*** buscar algo que simbolice, para de hoy en adelante, esta integración que se ha vivido, un elemento externo que represente y recuerde la integración que se ha hecho.
14. ***Salida:*** se cuenta hasta 10 en forma regresiva y se sale del ejercicio para vivir la vida con una fuerza renovada.

## EL CAMINO DEL PERDÓN

La herramienta que se presenta a continuación, propone un proceso a seguir, para llevar a cabo la reconciliación con personas y/o circunstancias[60].

Para poder recorrer el camino del perdón[61], existe un ***requisito básico:*** que haya cesado la ofensa, implica que haya un espacio de libertad. Si la ofensa persiste, es necesario hacer otro tipo de trabajo terapéutico, pero no el proceso de perdón[62].

1. ***Expresión de la cólera:*** poder expresar la cólera –generalmente mezclada con dolor– y la rabia que ha generado el hecho, el daño. Si no se saca la ira, ésta se convierte en deseo de venganza velada o descubierta, o en enfermedad. Hay que estar muy atentos a esto, porque la venganza no es el placer de los dioses sino un bumerán: recae sobre quien lo lanza.
2. ***Delimitar la ofensa:*** evaluación de las "pérdidas de la guerra". *¿Qué es lo que me ofendió?* Saber separar la ofensa de la propia persona. Desmagnificar la ofensa, objetivarla: no es *"acabaron con mi fama y todos lo creyeron"*, *sino "me quitaron un trozo de mi fama y dos lo creyeron".*
3. ***Reivindicar el propio derecho:*** *yo tenía derecho a que no me hicieran esto.* Esto es justamente lo que produce mi enojo.
4. ***Hacer la conexión con las heridas personales:*** la herida puede fomentar o aumentar la dimensión del hecho. Si el hecho toca la herida, y ésta no está trabajada, es más difícil perdonar, porque el golpe se sobredimensiona.

---

60. Presentación libre del instrumento presentado por MONBURQUETTE, Jean, op. cit.
61. Ver complementación teórica: *Dinámica del perdón*, p. 151.
62. No debe escandalizar a una persona cristiana que se mire el perdón como un proceso. Sólo Dios perdona siempre, desde siempre e inmediatamente, más aún, es la única característica divina que le quedó a Jesús en la Cruz.

5. ***Sacarle el mensaje al hecho:*** esto tiene un efecto mecánico, baja el deseo de venganza, entonces, inmediatamente aumenta la misericordia.
   Puede ayudar el ejercicio de *"hacer una nube"*[63]. Para sacar el mensaje sirve recordar que *"mi enemigo es mi mejor maestro"*. Sólo el enemigo me dice lo que los otros me ocultan.
6. ***Diálogo:*** hablar con esa persona (o hecho) o escribirle. Si no es posible entregar lo escrito, ayuda, por lo menos, expresar el sentimiento en forma escrita. Puede ayudar hacer el ejercicio de *la silla vacía*[64] para que quien me ofendió me explique su situación.

   Es necesario hacer el "ajuste de cuentas", deslindar las culpas. Es importante el reconocimiento de las responsabilidades de cada uno, pues, salvo en casos muy especiales, también hay algo de culpa en la persona ofendida. Es decir, en cualquier hecho siempre hay un porcentaje de responsabilidad en cada uno, nunca hay impunidad total[65].
7. ***Cambio de percepción:*** este camino del perdón ayuda a:
   * ver a esa persona o hecho con diferentes ojos.
   * ver a esa persona con los ojos de Dios, desde los ojos de Dios: *a ésta la quiere Dios como a mí, y es tan hijo suyo como yo, y apuesta por ella como por mí.*

63. Véase esta herramienta terapéutica, p. 82.
64. Presentado más adelante en este material.
65. En esto de la delimitación de "mi culpabilidad" hay que tener en cuenta que muchas veces puedo ser ofendido porque tengo la "culpa" de alguna ofensa que he recibido, por ejemplo, por la extracción de clase a la que pertenezco –o a la que me adhiero–, al grupo étnico, etc., que de ordinario oprimen y explotan a otros grupos humanos. Esto sería aprender a reconocer la "culpa" de gozar de una condición privilegiada (en cualquier aspecto) en detrimento y ventaja frente a otras personas. Por otra parte hay que saber distinguir la culpa jurídica (siempre el adulto es responsable y culpable en una situación sexual con un menor de edad) de la culpa psicológica que puede experimentar el menor. Esta culpa no se rige por la lógica jurídica ni racional, pertenece a la lógica de las sensaciones y se trabaja con el autoperdón.

## ¿CÓMO PERDONARME?

Esta herramienta terapéutica ayuda a procesar los sentimientos de culpa[66], de forma tal que sea posible pasar de la culpa malsana, el remordimiento, la negación del autoperdón, a la culpa sana, al arrepentimiento, a la evaluación responsable de los acontecimientos.

1. ***Expresar la cólera vicarialmente:*** la ansiedad, el dolor, la sensación de impotencia...
2. ***Deslindar:*** ¿qué es lo objetivo? ¿qué es lo que realmente hice mal? ¿cómo lo relaciono con la culpa original? ¿dónde está la relación con la herida?
3. ***Trabajar la sensación:*** hacer un *"qué me habita"*, o un focusing, o algún ejercicio que permita drenar la herida y ver lo que realmente me molesta. Es importante entrar hasta el fondo porque en la medida en que se drene se va sanando, y puedo perdonarme.
4. ***Descubrir el mensaje:*** sacar el provecho... ¿cuál es el mensaje? *¿qué aprendo de mí mismo, de mi limitación?* Para esto ayuda el ejercicio de *Hacer una nube.*
5. ***Aceptar la contradicción:*** abrirse a la propia condición humana: la contradicción inherente a nosotros mismos.
6. ***Confesión:*** es importante comunicarlo a alguien para objetivarlo, para hacer efectiva la gramática del perdón: de *"yo sé que he hecho mal..."* a *"yo te digo que..."*. Supone romper la gramática cerrada y comunicarse. El narcisismo baja cuando me reconozco *ante otro*, responsable de mis actos.
7. ***Abrirse analógicamente al amor incondicional:***
   * Abrirse al cariño de alguien *que me quiere incondicionalmente y me acoge como soy.* Cuando la persona no tiene experiencia de Dios, o tiene imágenes distorsionadas de Él, ayuda reconocer la experiencia de amor de alguien a quien se ama y por quien soy amado y aceptado como soy.

66. Ver complementación teórica: *El autoperdón*, p. 155.

Esta es una ayuda heteróclita: me apoyo en el otro para ser. Sin olvidar que, propiamente hablando, el amor incondicional si se tuvo, fue con los padres, en la infancia. En la vida adulta es un raro don encontrarse con alguien que nos ame incondicionalmente. De allí que la propia aceptación y la aceptación incondicional de Dios sean las fuentes primordiales de esta necesidad humana.

* Abrirse al perdón y a la misericordia de Dios: ALGUIEN *te quiere así como eres... así te quieren y así te aceptan.* Es en la relación con el Otro perdonante, en la que puede darse el autoperdón.

## EL DUELO POR UN SER QUERIDO

Esta herramienta permite elaborar el duelo producido por la pérdida (generalmente muerte) de un ser querido.

1. ***Permitirse el dolor:*** si se ha perdido –como sea– a un ser querido, lo primero que hay que hacer es darse un lugar para permitirse sentir el dolor que esto provoca. Es necesario pasar de las imágenes o visualizaciones que se tienen en este momento, a experimentar las voces que están hablando dentro de sí mismo y poder así, tocar lo que está golpeado en el corazón.
2. ***Expresión del dolor:*** una vez que se ha permitido sentir el dolor, es necesario darle un canal de expresión. Es probable que en el dolor haya desesperación, puede haber un poco de cólera, de quejas, un sentimiento de que todo se acabó. Hay que permitir que esto se exprese. Puede ayudar hacer algún ejercicio de bioenergética. Sirve, también, contarlo varias veces, permitir que otros acojan esa historia dolorosa. Si no es posible hacerlo con alguien, por lo menos, es importante escribir todo lo que se siente.
3. ***Delimitación del dolor:*** examinar qué es lo que más duele de esta separación: *¿qué deseos, aspiraciones, vivencias legítimas he perdido con esta "muerte"?* Es importante descubrir en qué medida esta separación está tocando el corazón de la herida y por eso hace el suceso aún más doloroso. Tratar de delimitar los hechos.
4. ***Ponderación de lo que has perdido:*** hablar imaginariamente, con esa persona que se ha separado, decirle todo lo bueno que aportó, todo lo que contribuyó al propio crecimiento personal. Agradecer lo mucho que hizo por mí.
5. ***Ajuste de cuentas:*** reclamar, ahora, el mal que también hizo. Tal vez, esta separación no se ha podido perdonar todavía...

Dar el perdón... Pedir perdón...

Ayuda escribir una carta –aunque nunca se entregue materialmente– en donde se exprese todo lo que había para decirse y nunca se dijo. Esperar la respuesta... Tal vez pueda surgir en un sueño. También sirve *escribirme* una carta para mí mismo en nombre de la persona que se fue. Todo esto prepara una reconciliación más profunda.

6. ***El reclamo a la vida... el reclamo a Dios:*** es posible que haya un profundo resentimiento, a veces no declarado, contra la vida, o contra Dios –aunque de manera velada–. Permitirse hacer el reclamo. Discutirle a Dios y reclamarle el porqué ha permitido eso. Todo esto prepara para la apertura al misterio: condición para poder avanzar.
7. ***En manos de Dios:*** finalmente dejar en manos de Dios la suerte de la otra persona y la propia. Pensar cómo en Jesús, esa persona ya ha resucitado, y da una fuerza desde el mismo corazón del Padre.
8. ***Experimentación de la nueva presencia:*** aunque es fruto de la fe, abrir el corazón para sentir la nueva presencia que emana de la fuerza resucitada de Jesús. Experimentar cómo ahora va a estar más cerca, sólo que de otra manera.

   Recordar que ahora esa persona ya no sufre, quizás el único sufrimiento es ver el dolor que ha causado su partida. Abrirse a encontrarlo en el corazón de Dios, donde todos vamos a estar un día que no va a conocer ocaso.

## ¿CÓMO INTEGRAR PÉRDIDAS Y CAMBIOS?

El objetivo de este ejercicio[67] es ayudar a vivir la experiencia del duelo por alguna(s) pérdida(s) significativa(s) en la vida.

En ocasiones los duelos que no se han hecho, las despedidas que no se han vivido, las situaciones difíciles que no se han digerido, impiden vivir desde la positividad. Por esto es necesario cerrar esas experiencias vitales que quizá estén inconclusas, despedirse definitivamente de ellas.

**¿Cómo hacer el proceso de duelo?**

1. ***Elección del tema sobre el que se quiere hacer el duelo:*** hacer la lista de las personas y/o circunstancias que perturban porque no se ha cerrado el círculo de relación con ellas. Ayuda preguntarse: *¿qué parte he perdido? ¿en qué valores me he sentido atacado o burlado? ¿qué sueño(s) he tenido que ahogar?* Esto en cuanto a lo interior. Si se trata de algo externo: *¿de quién o de qué me he tenido que separar? ¿qué o quién ha muerto para mí? ¿qué cambio no he logrado aceptar? ¿de qué misión no he podido desprenderme?*
2. ***Expresar la sensación negativa:*** permitirse expresar el llanto, la cólera, la tristeza que la pérdida ha dejado. Pueden ayudar los ejercicios de la bioenergética[68].
3. ***Delimitación de la pérdida:*** delimitar lo que se perdió, lo objetivo, lo justo. Para esto, ayuda hacer la lista de los valores personales que han podido sufrir daño: *la autoestima, la reputación, la confianza en sí mismo, la fe en el otro, un ideal, el sueño de bienestar, los bienes físicos, la salud, la belleza, la imagen social, la necesidad de discreción con relación a mis secretos, la honestidad,*

67. Presentación libre del instrumento presentado por Monburquette, Jean. Op. Cit. Ver también GIMENO, Ana, "Aprender a despedirse", en ALEMANY, Carlos, *14 Aprendizajes Vitales*, Desclée De Brouwer (Serendipity Maior), 5ª ed., Bilbao, 1998.
68. Véase herramienta terapéutica: *Ejercicios bioenergéticos*, p. 73.

*etc.* Es importante explicitar qué fue realmente lo que se perdió, y sobre lo que se quiere trabajar. Tomar consciencia de que se ha tenido una pérdida pero que no ha sido mi ser entero quien está aplastado sino solamente una parte de mí mismo. Es oportuno repetirse: *"no ha sido todo mi ser quien ha sido tocado, sino solamente… (se señala lo que se ha dañado)"*.

Es importante que todo se diga en pasado y utilizando el verbo **haber** y no el verbo **ser**… No es lo mismo decir *"yo he recibido un insulto"* que *decir "yo he sido insultado"*. Hay una gran diferencia en la percepción de la ofensa. No es lo mismo afirmar *"yo he sufrido una herida"* que decir *"yo he sido herido"*.

4. ***Exploración de la pérdida:*** la herida ayuda a dar la interpretación del dolor. Preguntarse: *¿cómo puedo relacionar esta pérdida con la herida? ¿hay reacción desproporcionada?* Delimitar la culpa: *¿cuál es, realmente, mi nivel de responsabilidad en esta pérdida?* Es necesario recordar que no se es el único responsable del suceso doloroso o de la pérdida que se está considerando. Ha sido también responsabilidad de otros.
5. ***Ponderación:*** descubrir las lecciones que se pueden sacar de la pérdida. Si no se encuentra el bien de esa pérdida jamás podrá integrarse: *¿qué es lo positivo que me dio esa persona o ese hecho? ¿cuál fue el regalo para mí?*
6. ***Ajustar cuentas:*** decirle a esa situación o a esa persona, todo lo que no fue bueno, lo que fue negativo, lo que causó daño, lo que lastimó. Para esto ayuda escribir.

   Dar tiempo para experimentar la respuesta… Una manera de hacerlo es escribirme una carta en nombre de esa persona o esa situación, en la que también agradezca y ajuste cuentas conmigo.
7. ***Sacar la lección de la pérdida:*** *¿qué he aprendido sobre mí en esta pérdida? ¿qué limites o fragilidades he descubierto? ¿me hace esto más humano? ¿qué nuevas fuerzas o recursos he descubierto a raíz de este suceso doloroso? ¿qué nuevas razones para vivir me he dado? ¿de qué manera me orienta esto a modificar mi vida futura?*
8. ***Búsqueda de un símbolo nuevo:*** ayuda encontrar algo que recuerde siempre la integración lograda interiormente con este proceso de hacer el duelo de una pérdida.

## LA SILLA VACÍA

Este ejercicio[69] tiene como objetivo permitir en forma dialogada, la expresión de sentimientos hacia una persona concreta.

1. ***Conectarse consigo mismo:*** apartarse de las distracciones, y tomando una postura cómoda darse tiempo para entrar en contacto consigo mismo y sus sensaciones.
2. ***Elección de una persona:*** se elige una persona con quien se ha negado expresar sentimientos positivos o negativos. Puede ser un familiar, un amigo, alguien a quien se le quiere decir algo pero que por diversas razones se calla.
3. ***Visualización:*** se capta mentalmente la imagen de esa persona y se visualiza sentada en una silla enfrente de la silla en la que se sienta la persona que está haciendo el ejercicio. Describir a la persona, sentirla allí presente.
4. ***Diálogo:*** expresar todo lo que se le quiere decir a la persona que está en la silla vacía. Si es expresión de dolor, quejarse. Si es algo positivo hacerlo explícito, patente. Ahondar en esa sensación, detallar el hecho o acontecimiento doloroso u agradable, dialogando siempre con la persona de la silla vacía.
5. ***Cambio de silla:*** cuando el tema ya ha sido expresado, la persona cambia de silla. Se cierran los ojos para sentirse en el lugar del otro. Posteriormente la persona se visualiza en la silla vacía. Luego se inicia una respuesta, apropiándose del papel de la persona escogida para el diálogo. Quien hace el ejercicio se pregunta: *"¿cuál sería su respuesta, a lo que yo le dije?"*. Se escucha lo que la persona responde por medio de mí mismo.

---

69. Presentación libre de un ejercicio tradicional de la *Gestalt*. Cfr. PERLS, Fritz, *El enfoque gestáltico: testimonios de terapia*, Cuatro Vientos, Santiago de Chile, 1976, p. 187.

Puede darse el cambio de silla las veces que sean necesarias para profundizar en el diálogo. Lo importante es que quien hace el ejercicio, asuma el rol de la persona elegida al sentarse en la silla vacía, así como el suyo propio cuando está en la silla original.

6. ***Ponderación:*** agotado el tema del diálogo, se trata de rescatar lo positivo de la relación, de la comunicación que ha existido. Si el ejercicio ha sido respecto a un tema doloroso este paso es aún más necesario.
   Quien hace el ejercicio puede valorar las cosas de las cuales se siente agradecido con la persona elegida, o simplemente destacarle –siempre por medio del diálogo– los valores y virtudes que le observa. Aquí también puede haber cambio de silla para que se realice un diálogo acerca de lo positivo.
7. ***Petición y ofrecimiento de perdón:*** en situaciones negativas, quien hace el ejercicio, desde su lugar original puede pedirle perdón a la persona escogida y/o perdonarle, dependiendo de su proceso personal. Se realiza un diálogo con cambio de silla.
8. ***Integración:*** regresar al lugar original, cerrar los ojos y sentir la presencia del otro integrada con uno mismo. Dejar un espacio y tiempo para sentirse libre al haber expresado el dolor, al haber agradecido el gozo, al haber experimentado el perdón…
   Sentir que la persona elegida se levanta de la silla vacía y "pasa" por mí, sentir su abrazo, su sonrisa, su presencia integrada a mí mismo.
9. ***Finalización:*** contar de 10 a 1 para salir de nuevo.

## ¿CÓMO LIMPIAR LAS RELACIONES?

Esta herramienta[70] es útil para armonizar las relaciones de pareja y/o de grupos. Los conflictos son signos de vida y posibilidad de crecimiento. Por eso las dificultades en una relación, no son en sí mismas un problema: el problema es no saberlas trabajar.

Para hacer este ejercicio se requiere que haya siempre una tercera persona como mediadora entre las partes en conflicto. Su papel es ayudar a que se dé la conversación confrontativa inicial, que permita, posteriormente llegar al diálogo.

1. ***Delimitación personalizada del conflicto:***
- Cada uno, trabaja por separado estos cuatro aspectos:
  - *¿Con lo que me ha hecho (o dicho) esta persona, qué* ***derechos justos*** *me conculcó (aplastó)?*
  - *¿Con lo que me ha hecho (o dicho) esta persona, de qué manera* ***tocó mi herida****?*[71] *¿qué derechos no legítimos yo esgrimo, digo que son derechos, pero realmente son reivindicaciones cuestionables que nacen de mi parte vulnerada?*
- Luego, visualizar también lo del otro, ponerse en los zapatos del otro y responderse:
  - *¿Con lo que yo hago (digo) que derecho justo estoy conculcándole a la otra persona?*
  - *¿Con lo que yo hago (digo), cómo toco su herida?*

2. ***Confrontación:*** inicialmente, cada uno expone su trabajo personal, y el otro escucha sin interrupciones.

70. Presentación libre del *PRH*.
71. Obviamente el uso de esta herramienta implica que las personas en conflicto hayan hecho antes **algún tipo de proceso** que les haya conducido a identificar sus heridas, sus aspectos vulnerados.

Luego, se van retomando punto por punto: *derechos justos conculcados para ambos,* y se dialoga sobre ello. Se sigue con *los derechos esgrimidos desde la herida propia,* y los *derechos justos conculcados* y los *derechos esgrimidos* desde la herida del otro, cuando cada uno se puso en el puesto contrario.

Es necesario prestar atención al modo de hablar, debe emplearse por principio expresiones que hablen de la sensación personal: *"yo siemto que..."* en vez de *"tú hiciste..."*. Es decir, hay que evitar los juicios innecesarios y perturbadores.

***El papel del mediador***

La función del mediador es hacer que haya coincidencia, acuerdo entre lo que cada uno expresa, y lo que cada uno intuía. Debe ayudar a ir llevando el encuentro de un nivel al otro: de la confrontación de los derechos que cada uno sintió conculcados, pasar al modo como cada uno sintió que fue tocada su herida.

El moderador debe estar atento a que se vaya punto por punto, y que se escuche completamente y sin interrupciones lo que dice el que tiene en cada momento el derecho de hablar.

Cuando las conversaciones confrontativas llegan a ser sobre lo que cada uno respondió cuando se puso en el lugar del otro, se ha llegado a la actitud de diálogo.

3. ***Diálogo:*** luego de confrontar el punto final, *¿con lo que yo hago (o digo) cómo toco su herida?,* es recomendable que el moderador se retire y permita un diálogo privado entre ambas partes.

Este mismo modelo, se aplica a los grupos de vida y a las relaciones comunitarias[72], para trabajar conflictos entre los miembros del grupo. Siempre debe haber una tercera persona como mediadora del proceso.

72. Una profundización explícita de esta temática en la vida comunitaria, puede encontrarse en: CABARRÚS, Carlos Rafael, "Tensión y conflicto comunitario desde la perspectiva ignaciana", en *Boletín de Espiritualidad,* provincia Mexicana, 5, 5. 1992.

## ANÁLISIS DE LOS SUEÑOS

### Metodología

El arte de un acompañante de sueños es dar elementos, ofrecerle llaves al soñador para que él mismo pueda descifrar e interpretar lo que está en el sueño[73].

- Los sueños deben clasificarse y archivarse así:
  - Se le coloca nombre al sueño.
  - Se coloca la fecha y una descripción breve de lo que se vive en ese momento. Esto permite volver en otra oportunidad sobre él.
  - Se presenta el argumento, es decir, se resume la trama del sueño.
  - Se rescatan los "sentimientos" vividos en el sueño.
  - Se ve si se intuye alguna relación con "lo de Dios" en mi vida.

Hay varias "llaves" para entrar a los símbolos... hay que tomar esas llaves y entrar con la que me parezca más acertada, se usan de acuerdo con la cerradura, ¡no hay que usarlas todas!: se le pone atención cuando haya repercusión corpórea, cuando esté la sensación (por ejemplo, la ansiedad), se suelta la llave y se trabaja con el focusing. Se emplea otra llave cuando ya no se encuentre más en ese espacio que se abrió.

Cuando se va a analizar un sueño, hay que preguntarse: *¿cómo me motiva? ¿a qué me sabe?* Esto permite percatarse de su tono en clave del pozo y el manantial, o de la herida y el proceso vulnerado.

73. Cfr. CABARRÚS, Carlos Rafael, *Orar tu propio sueño*, Universidad Pontificia Comillas, 2ª ed., Madrid, 1996, p. 85. En esta obra se retoma la contribución de Gendlin, E. sobre el enfoque corporal de los sueños. Ver complementación teórica: *Los sueños*, p. 166.

- Análisis del sueño:

***Manojos de llaves:***

* Asociar con otras cosas:
- *¿Qué me sugiere el sueño?*
- *¿Qué sentía en el sueño? ¿Qué siento ahora?*
- *¿Qué pasó "ayer"? ¿Qué ha pasado últimamente?*
- *¿Qué relación tiene este sueño con algo que me está pasando?*
- *¿Qué quiere este sueño de mí?*
- *¿Qué preguntas me plantea este sueño?*
- *¿Por qué necesitaba este sueño?*

* Desentrañar:
- Decir todos los elementos, describirlos.
- Destacar el argumento.
- Trabajar los personajes:

  *¿Qué o quién es el adversario?*
  *¿Qué o quién es la fuerza positiva, curativa o ayudadora?*
  *¿Dónde están los que te ayudan en el sueño y en la vida?*

* Personajes:
- *¿Cómo has actuado en el sueño?*
- *¿Qué parte del cuerpo refleja?*
- *¿Cómo sería yo ese? (por ejemplo: ese perrito).*
- *¿Cómo podría terminar el sueño de otra manera?* Esta suele ser la llave maestra.

* Trabajo de cada símbolo:
- *¿Qué símbolos te parecen importantes?*
- *¿Qué es lo más simbólico?*
- *Presto atención a lo contrafactual:* lo que ocurre en el sueño que va contra el modo ordinario como ocurren las cosas, lo que va contra lo obvio: *aparezco caminando con los pies para arriba, estoy en la Torre Eiffel limpiando ventanas muy tranquilo y le tengo miedo a la altura.*

* ¿Qué refleja esto de mi niñez?
- *¿Qué relación tiene con mi proceso de crecimiento?*
- *¿Qué relación tiene con mi vida sexual?*
- *¿Qué tiene esto que ver con lo de Dios?*

* ¿Cuál es la postura copórea que lo representa?
- *La estresada y la suelta.*

* ¿Cuál es el mensaje del sueño?
- *¿Qué regalo me trae **hoy** este sueño?*

* Otras llaves útiles:

  Luego de esta exploración con los diferentes manojos de llaves, es importante pasar al nivel de la profundización y búsqueda de crecimiento con el sueño:
  - *¿Qué pasa si veo el sueño al revés, en contra de mi primera interpretación, si analizo lo contrario?: no me atacan a mí, sino que soy yo quien ataca, no me persiguen a mí si no que soy yo quien persigue...*
  - *Buscar lo opuesto a mi primera interpretación del sueño.*
  - *Buscar lo opuesto a mi propia reacción en el sueño.*
  - *Investigar mi rechazo a personas o cosas: ¿no son atracciones?*
  - *Retomar lo negativo como si pudiera ser algo reprimido... Atender a la resistencia.*
  - *¿Por qué no enfoco la situación que estoy viviendo, de "ese" modo?*
  - *¿Qué acciones puedo hacer como resultado de trabajar este sueño?*

- Hacer explícito el "movimiento corporal" durante todo el proceso.
- Hacer el ***NER***.
- Establecer claramente la invitación de crecimiento que surge como fruto del sueño. Descubrir también, el juego y el "baile" entre la ostura reprimida y la liberada.

## ACOGER A MI NIÑO HERIDO

El objetivo de este ejercicio[74] es experimentar que ahora, yo mismo puedo cuidarme, protegerme, acogerme... Ahora soy yo quien no va a permitir volver a ser herido y quien va a cuidar al niño herido que llevo dentro[75]. Es un ejercicio para poner la fuerza del pozo a acoger y curar la parte vulnerada. Es un ejercicio en donde desde el pozo veo y atiendo mi vida. Es una herramienta síntesis del taller.

Ayuda a integrarse, a reconocer que el amor que no se recibió cuando se era niño ya no va a tenerse, no hay que seguir buscándolo. Genera la decisión de no seguir buscando por la vida, papá y mamá. Ahora, el único que puede darse lo que no se recibió *soy yo mismo y Dios*.

Debe hacerse con los ojos entre abiertos. Ayuda a iniciar el ejercicio, imaginar (o ver realmente) que se está revisando un álbun de fotos de la infancia.

1. ***Ponerse en contacto consigo mismo:*** apartarse de las distracciones que puedan presentarse durante el tiempo que se realiza el ejercicio (aproximadamente 30 minutos), y tomar una postura confortable que permita cerrar el círculo energético.
2. ***Revivir la escena de mi niño herido:*** darse tiempo para revivir la experiencia, nombrarla, identificar con precisión la herida. Después, a partir de la sensación principal, o del cúmulo de sensaciones, volverse al pasado como quien repasa un álbum de recuerdos. Afincado sobre la sensación dejar que vengan las imágenes, los recuerdos, las palabras con relación a la herida. Generar una imagen propia de pequeño, con esa sensación.

---

74. Presentación libre del instrumento presentado por MONBURQUETTE, Jean, op. cit.
75. Estas lecturas ayudan a la comprensión y profundización de esta herramienta: BRADSHAW, John, *Volver a la niñez: cómo recobrar y vivir con su niño interior*, Selector, México, 1995, p. 254 y HART, Thomas, *El manantial escondido*, Desclée De Brouwer (Serendipity), 1997, p. 125.

* Subirle el volumen a la sensación.
* Visualizar el niño en el momento en que lo que padece lo está sufriendo más.
* Ayudar con preguntas como:
  - ¿Qué edad tiene el niño?
  - ¿Quién lo acompaña?
  - ¿Cómo está el niño?
  - ¿Cómo está vestido?
  - ¿Qué pasa?
  - ¿Qué le dicen?
  - ¿Qué dice?
  - ¿Cómo reacciona?
  - ¿Qué decisión ha tomado después de ese suceso doloroso?: *"no vuelvo a hablar... no vuelvo a querer a nadie... no vuelvo a confiar..."*.

3. ***Dialogar con ese niño:*** iniciar un diálogo con ese niño, como se hace con un pequeño: poco a poco, tratando de ganar la confianza del niño herido. Se le deja decir que se siente solo... Hacerlo igual que se hace con un pequeño cuando sufre. Tomarse el tiempo de sentir su presencia, dejar que se calme y que esto le ayude a curarse.
   Luego, se le habla, se le consuela, se le pide perdón por haberlo olvidado tanto tiempo. Se le explica todo lo que ha pasado. Se le promete que nunca se le abandonará más.
   Se visualiza el dolor del niño herido, sin entrar en la sensación, para lograr un cambio de actitud en la parte golpeada: *que busque mi abrazo (al papá o a la mamá ya no los tiene)*. Es un desdoblamiento de sí mismo para nutrirse (el niño y yo) en lo que le hace falta.
   Cuando se considere que ya está listo, puede sugerírsele que perdone a los que lo han ofendido. Si se experimenta su resistencia, no forzarlo. Tenerlo simplemente ahí y reconfortarlo. *Tu conoces la generosidad de tu niño. Dale confianza. Cuando esté listo, él(ella) va a perdonar.* Permitir que pase el tiempo necesario...
4. ***El abrazo a mi niño herido:*** cuando se esté seguro de haberse ganado la confianza de mi niño y se esté seguro de que él acepta que se le acerquen, me levanto, lo tomo entre brazos, lo siento sobre las piernas y lo abrazo fuerte, cruzando los brazos contra el pecho.
   Abrazo ese niño herido –que soy yo mismo– y hago el juramento-promesa: *"de hoy en adelante no vas a estar más solo, voy a hablar contigo, te voy a defender, a aceptar, a proteger"*.

5. ***Despedida:*** antes de despedirse del niño, se le consuela diciéndole que no lo voy a abandonar jamás, que le hablaré con frecuencia y lo cuidaré de hoy en adelante.
6. ***Símbolo:*** se escoge un símbolo que represente a ese niño que se va a cuidar a partir de hoy.

# Complementos teóricos

# 5

La complementación teórica que se presenta a continuación, contiene algunos elementos básicos que son necesarios para comprender los ejercicios y el proceso de crecimiento personal que se está realizando. Por esto, se trata aquí solamente de planteamientos ilustrativos que aclaran y explican los ejercicios de interpelación, y las herramientas terapéuticas, y ***no de grandes profundizaciones teóricas.***

## CRITERIOS PARA SABER SI ESTOY HACIENDO BIEN UN EJERCICIO

Hay dos criterios fundamentales para verificar la justeza de un ejercicio: que haya resonancia corpórea y que surja una novedad sobre sí mismo.

1. ***Resonancia corpórea***

   Si hay movimiento corporal, quiere decir que se hizo el ejercicio siguiendo el impulso del cuerpo, es decir, el primado de la sensación y no el de la lógica racional.

   Si se siente susto, ansiedad, *si me emociono, si sudo…* es buena señal. Si no hay perturbación, *si no me inmuto,* es que se está haciendo con la lógica racional.

   Hay que dejarse interpelar: donde se siente "ruido" del cuerpo, por ahí hay que buscar, hay que desentrañar. Ahí hay que detenerse a explorar.

   Esto es muy importante porque no es la lógica racional la que salva de los problemas profundos, sino la lógica de la sensación la que revela dónde están los golpes que nos crean problemas.

2. ***Novedad***[76]

*¿Aprendí algo nuevo de mí mismo?* Si se hace bien el ejercicio, se puede sacar una novedad, en diversos aspectos:

*N* **Nuevo:** *dato nuevo, algo de lo que nunca se había sido consciente, algo absolutamente nuevo para sí.*

*E* **Énfasis:** *algo que ya se conocía pero se hace más clara su incidencia en el proceso, toma más fuerza, se reafirma.*

*R* ***Relaciones*** que no se habían hecho nunca, se logra unir lo que se vivió en ese ejercicio con otros datos, y esto permite avanzar en el proceso de conocimiento personal.

76. Cfr. PRH, F.P.M. 21, 1983, p. 6.

Si se puede hacer un ***NER***, se está haciendo bien el ejercicio, y sólo puede haber ***NER*** si hay repercusión corpórea.

Todo ejercicio tiene que tener resonancia corpórea (aunque aparentemente sea mínima) y generar algo novedoso en **por lo menos**, uno de los tres aspectos: *novedad en sí, o en el énfasis o en la relación.*

Estos mismos criterios hay que tenerlos en cuenta en los trabajos de grupo de vida, para saber si el grupo está cumpliendo realmente la función que debe cumplir. Es decir, en cada trabajo de grupo tiene que haber también para cada uno, resonancia corpórea y ***NER***. La importancia de hacer el ***NER*** luego de escuchar el compartir del grupo es que hay implicación personal en lo que el otro compartió, por lo menos dándose cuenta de lo que produjo en sí mismo la expresión del otro.

Ocasionalmente, en algunos ejercicios que se hacen en común, se puede sacar también el ***NER*** grupal.

## LA SENSACIÓN

La sensación no puede definirse con exactitud. Es *"algo como si..."*. La sensación es la ***reina del taller...*** es la conciencia del cuerpo... es como el resto del cuerpo vive cosas que con la cabeza ha olvidado...

A veces se ***imponen*** sensaciones de ansiedad y depresión que no es posible manejarlas. Ese es el lenguaje de la sensación: ahí hay algo que están diciendo el corazón o las entrañas, y que necesita ser manejado, interpretado.

El tipo de sensación que interesa es la que se diferencia de la mera sensación física, de la idea y de la memoria. Se aclaran cada uno de estos términos:

* ***Sensación física:*** es una manifestación meramente orgánica.
* ***Sensación psíquica:*** tiene contenido psicológico Hay repercusión en el cuerpo pero hay una lectura desde la psicología personal.
* ***Ideas:*** producto de la reflexión, de por sí no me "alteran".
* ***Memoria:*** no tiene repercusión física, son cosas que se vienen a la mente y dejan a la persona igual, es decir, sin ninguna sensación corpórea.
* ***Recuerdo:*** es algo que viene del pasado y tiene repercusión física, corpórea. Es una sensación psíquica que estaba adormecida y se actualiza en un momento dado.

| *S. FÍSICA* | *S. PSÍQUICA* | *IDEA* | *MEMORIA* | *RECUERDO* |
|---|---|---|---|---|
| En el cuerpo | Repercusión en el cuerpo | En la razón | En la razón | Repercusión física |
| Autónoma y se impone | Autónoma y se impone | Puedo cambiarla, depende de mí | Depende de mí | Autónoma y se impone |
| Analizándola puedo hacer *NER* | Analizándola puedo hacer *NER* | No puedo hacer *NER* | No puedo hacer *NER* | Analizándolo puedo hacer *NER* |
| | | No puedo avanzar sobre mi propio conocimiento | | |

Vamos a trabajar con la sensación psíquica (que llamaremos simplemente *sensación*)[77] y el recuerdo, porque lo otro está en el plano de la lógica racional. La **sensación psíquica** es la clave en el proceso terapéutico[78]. Por eso, siempre se trabaja con lo que se está sintiendo.

Las características de la sensación son:

- *Indefinible:* no se puede explicar con exactitud.
- *Difusa:* no se le ven los límites.
- *Globalizadora:* abarca a toda la persona, se impone.
- *Enigmática:* permite intuir que hay algo por descubrir.
- *Enfocable:* se puede localizar en una zona del cuerpo, puede enfocarse, ubicarse, localizarse.

Trabajar con las sensaciones tiene dos requisitos básicos:

- No dejar intervenir el juicio, el parecer, la razón, la moralización, para permitir que la sensación se exprese en toda su complejidad. Esto implica excluir los verbos de la lógica racional: pienso, creo, me parece, es bueno, es malo...
- Saber reconocer el movimiento corporal –a veces leve y muy sutil– como indicador de por dónde está la sensación y por dónde señala que hay algo que debe desentrañarse.

77. PRH, F.P.M. 16, 1983. PRH, op. cit, p. 59.
78. Gendlin ha demostrado que los personas que se curan son las que se trabajan desde la sensación. Cfr. GENDLIN, Eugene, *Focusing: proceso y técnica del enfoque corporal*, Mensajero, Bilbao, 1997, p. 27.

## ¿CÓMO SE COMPORTA UN GRUPO DE VIDA?

Como ya lo hemos dicho, en este taller el grupo de vida tiene un papel determinante ya que es, en sí mismo, terapéutico. Presentamos algunos factores básicos que deben darse en el grupo para que éste ejerza esta función terapéutica[79]:

1. ***Confianza y aceptación***

La confianza de los participantes del grupo entre sí, y de estos con el acompañante –cuando se tiene y/o está presente– o por lo menos la expresión clara de cualquier síntoma de desconfianza, es uno de los factores claves para que el grupo ejerza su tarea terapéutica. La confianza se manifiesta en la aceptación mutua, la profundidad en las experiencias vitales que se comparten, y el riesgo de compartir las reacciones en el *aquí* y el *ahora*. La aceptación hace que crezca la asertividad, pues si cada persona se siente acogida y libre para ser como es, sin el riesgo de ser rechazada, sabe que no es necesario hacer nada para agradar a los otros.

2. ***Empatía e interés***

La empatía exige la capacidad para percibir el sentimiento del otro y conectarse en lo profundo con él. Permite apreciar honestamente al otro. Implica interés: relación genuina y activa con cada miembro del grupo. Sólo cuando se experimenta la empatía y el interés de los otros, se hace posible la apertura transparente y profunda.

3. ***Esperanza***

El cambio es posible cuando se cree en él. Es necesario que los miembros del grupo tengan la convicción de que pueden romper sus cadenas con el pasado y pueden ser activos en el enriquecimiento de sus vida. Es requisito funda-

79. Cfr. COREY, Gerald, *Teoría y práctica de la terapia grupal*, Desclée De Brouwer (Biblioteca de Psicología), Bilbao, 1995, p. 583.

mental para el proceso de crecimiento personal en el ámbito individual y grupal, que se crea en la posibilidad de sanar la propia herida (la parte vulnerada) y en la capacidad de potenciar el pozo de las cualidades (el manantial). La esperanza en sí misma es terapéutica y motivadora.

**4. *Libertad para experimentar***

El grupo de vida se convierte en un espacio vital en el que es posible experimentar conductas nuevas, ensayar cambios de comportamientos que se quieren modificar, e imaginar maneras nuevas de vivir escenas de la vida diaria. Técnicas como el sociodrama y el juego de roles, facilitan esta vivencia.

**5. *Compromiso con el cambio***

Para que se dé el cambio, además de la esperanza, de creer en él, es necesario tener un compromiso con éste. El cambio no se da con el mero deseo de cambiar, se requiere compromiso personal –consigo mismo en primer lugar–, pero también con la experiencia de apertura al grupo, y la ejecución de los ejercicios de interpelación y las herramientas terapéuticas, propuestos como medios para el proceso de conocimiento y crecimiento personal.

**6. *Intimidad***

La intimidad auténtica en un grupo se da cuando ha habido una revelación profunda de cada miembro, que les permita sintonizar a unos con otros. La intimidad aumenta en la medida en la que se recorre conjuntamente el camino del conocimiento y crecimiento, y se comparte el proceso de sanación. Cuando se logra experimentar en el grupo de vida que, independientemente de sus diferencias, todos comparten ciertas necesidades, deseos, ansiedades y problemas; cuando se descubre que todos enfrentan problemas similares, se incrementa la intimidad, y se hace posible trabajar los temores relacionados con ella y las resistencias al acercamiento personal. El objetivo fundamental es llegar a reconocer cómo se ha vivido evitando la intimidad (por el temor a ser nuevamente heridos, abandonados, no reconocidos) y cómo es posible aceptar sin miedo la intimidad y la cercanía con los otros.

Ormont (1988) citado por Corey (1997) presenta algunas señales típicas de la vivencia de **la intimidad en el grupo:**

- Apertura a un espacio emocional donde se da cabida a todos
- Comunicación sencilla y abierta
- No existen agendas ocultas al interior del grupo
- Hay riesgo en la comunicación sin temores
- Hay presencia de sentimientos fuertes
- Hay naturalidad en el acompañamiento de unos con otros

* Hay capacidad para vivir el presente
* Hay compromiso de sigilo con lo compartido

*7. Catarsis*

Permitir la descarga emocional, frecuentemente de forma explosiva, en el espacio del grupo de vida, ayuda a la liberación de sentimientos reprimidos. Dejar surgir sentimientos de cólera, frustración, dolor, odio, temor, y también sentimientos como la alegría, el afecto y el entusiasmo, abren al camino terapéutico. Pero es necesario que además de permitir la catarsis, se trabaje con estos sentimientos para lograr que los cambios tengan un efecto duradero y prolongado en el tiempo.

La catarsis es importante dentro del ambiente del grupo de vida, ya que ésta es un proceso *interpersonal*, es decir, es realmente eficaz cuando se hace en presencia de otra(s) persona(s). Cuando la descarga fuerte de sentimientos se hace acompañada por alguien, quien acompaña aporta en el proceso de ayudar a drenar la herida, tiene un papel fundamental en la objetivación de los sentimientos y sus causas, y es punto de referencia en el camino de sanación. Quien hace la catarsis, al tener testigo(s) de ella, se compromete –consigo mismo y con quien acompaña– en el trabajo posterior, puesto que los elementos revelados en un proceso de catarsis son herramientas útiles para la confrontación ulterior. Esto deja claro que el efecto de una descarga emocional –aunque sea fuerte– en un "espacio vacío" (sin compañía), no produce resultados duraderos.

*8. Modificación corpórea*

Hemos afirmado que la repercusión corpórea es una condición sin la cual no podemos hablar de proceso terapéutico. De igual forma, no podemos hablar de camino de sanación si no se da la modificación corpórea.

La modificación corpórea se hace posible cuando se *in-corporan* (se introducen, se graban en el cuerpo) de manera diferente los hechos dolorosos del pasado, entonces es posible que la persona se *in-corpore* (se levanta, se yergue) de la postración física –aunque disfrazada– en la que se encontraba, y se *in-corporan* (se acogen, se asimilan) en el grupo esos nuevos datos como modificación colectiva. La modificación corpórea del grupo revela la modificación corpórea personal de cada uno de los participantes, pero también, la modificación generada por la interacción entre todos y cada uno. Resaltamos lo que ya dijimos anteriormente: el grupo de vida es por excelencia el gran terapeuta, por el compromiso de crecer juntos por contraste y por resonancia.

### 9. *Reestructuración cognitiva*

Comprender el significado de las experiencias emocionales intensas es necesario para ampliar el camino del conocimiento personal. Este factor cognitivo incluye la explicación, la clarificación, la interpretación, la comprensión de los fundamentos teóricos subyacentes, la formulación de conclusiones, y la adopción de nuevas decisiones.

### 10. *Auto-apertura*

La apertura es el medio clave para que se dé la comunicación abierta, transparente y terapéutica en el grupo de vida. Si la comunicación se limita a la expresión de ideas, análisis de la temática, o relatos de vivencias en forma de anécdotas, el grupo corre el riesgo de convertirse en un espacio académico o quizá recreativo. La auto-apertura exige, además de la revelación de la realidad personal (¡sin menoscabo del derecho a la privacidad e intimidad personal!), la capacidad de compartir y vivenciar grupalmente, las reacciones generadas en el intercambio de la vida diaria entre los miembros del grupo, al interior y fuera de éste.

### 11. *Confrontación*

En nuestro esquema de trabajo, la confrontación es una exigencia para hacer posible la tarea de ser "piedra de moler"[80]. Confrontarse es una de las funciones fundamentales del grupo y una condición para el crecimiento personal y grupal.

La confrontación es una invitación constructiva a la coherencia, a la destrucción de barreras, a la autenticidad, al reconocimiento de las dificultades y las potencialidades personales, y al compromiso. Es sana en la medida en la que se confronte desde las reacciones del que comparte y no desde los juicios propios de quien confronta; si se hace de forma positiva: con cuidado, sensibilidad y responsabilidad, es decir, sin hostilidades, indirectas, o ataques, que puedan hacer sentir a la persona juzgada y rechazada. Una confrontación grupal bien llevada, invita a la autoconfrontación.

### 12. *Confidencialidad*

La confidencialidad, además de ser una condición fundamental para que se cumpla la función terapéutica del grupo, es un requisito inviolable dentro de la dinámica del grupo de vida. La intimidad de cada uno es un terreno *privado y sagrado* que se descubre ante los otros, sólo cuando es motivada por la esperanza y el compromiso con el cambio, y respaldada por el sentimiento de confianza, aceptación, empatía, interés y libertad que se experimenta ante los

80. Véase la herramienta terapéutica: *¿Qué me habita?*, p. 66.

miembros del grupo. Una vez terminada la sesión del grupo de vida, este terreno de la intimidad vuelve a ser un *espacio cerrado y absolutamente privado*, que exige a cada miembro, el silencio y la reserva de lo acontecido allí.

## Actitud fundamental del grupo de vida

El papel del grupo de vida en este taller es, fundamentalmente, ser "piedra de moler", es decir, ayudar a expandir la sensación que se produce en determinados momentos.

Por esto, no mima, sino que ayuda a expresar lo que se vive... acoge lo que está viviendo el otro, pero sin zalamerías. Abre espacio para que el problema se exprese.

Lo que se comparte en el grupo de vida fundamentalmente es el ***NER***... ¡Eso es lo que enriquece!. No hay que llenar de datos a la gente, no hay que contarlo todo sino lo que fue novedad. Si en el momento del compartir la sensación, ésta vuelve a surgir, hay que trabajarla ahí. ¡Esa es una gran oportunidad!

Se sabe que la persona está otra vez en la sensación porque hay repercusión corpórea: movimiento de los ojos, cambio de la respiración, del tono de voz... Una clave importante es saber que cuando la persona está hablando de sí misma, de lo que está viviendo y sintiendo, mira hacia abajo: mira al corazón.

Cuando alguien entra en la sensación, alguno de los del grupo (sólo uno) debe asumir el papel de piedra de moler; los otros pueden ayudarle con notas o gestos, pero no hablando.

***¿Cómo ayudar?***

* Hacer el trabajo de piedra de moler: ayudar a que la persona se meta en la sensación y la explore.
* Invitarla a fijarse en el "ancla", a localizar lo que está sintiendo y expresando, en una parte de su cuerpo.
* Fijarse en los verbos *(siento, me gusta, me duele, experimento, sufro...)*, los adverbios *(dónde, cuándo, cómo, quién...)*. Cuidar que se permanezca en la lógica de la sensación y no se vaya para la lógica de la razón.
* Llevarla nuevamente a la sensación cuando se vaya al *por qué* o al porque...
* Proponer preguntas que lleven a reconocer cuándo ha sentido esto otra vez, para ayudar al cambio de plano.

  Lo que hay que ir explorando es que la sensación diga de dónde viene, cuándo se grabó eso que se está actualizando ahora.

Saber que posiblemente se sienta muy profundo, que tal vez se establezca mucha sintonía con la persona que está explorando su sensación, pero que no se puede permitir perder la lucidez, ni meterse a vivir la sensación del otro.

El ejercicio del "qué me habita" es el que entrena para ser acompañante personalizado o en grupo, pues si se sabe hacer ese ejercicio, se sabe acompañar porque se puede saber por dónde va el otro y se puede ayudar a que vaya profundizando para hacer cambios de plano e ir a las causas reales.

Además de ayudar a la exploración, hay que ayudar a la sutura[81]... ¡el arte más bonito del acompañamiento es suturar y que no quede señal!

Es posible que al interior del grupo de vida (o del grupo plenario) surjan conflictos, choques y dificultades: no hay que trabajarlos desde la razón sino invitar a trabajarlos desde la sensación. Hay que asumirlas como posibilidades de trabajo pues si se miran sólo como malestar, se deja perder toda la riqueza que conllevan.

81. Véanse las herramientas terapéuticas: *la nube, la armonización, acoger mi niño herido,* en el capítulo cuarto de este libro.

## LA ENERGÍA CORPORAL

La energía, la fuerza vital de toda persona, se manifiesta en el funcionamiento físico, emocional, psicológico, volitivo (de la voluntad) y espiritual, y esta marcada por el ***nivel de conciencia***. Es decir, es la conciencia la que va estructurando el campo energético de cada uno, y la que va encauzando el empleo del potencial de la energía personal, hacia la integración, el trabajo, el conocimiento, y hacia las relaciones, la energía se desplaza a donde va el pensamiento. Esto lo desarrolló fundamentalmente W. Reich, de donde Lowen captó la chispa de su ulterior investigación[82].

El carácter es la estructura que se generó en el cuerpo para defenderse ante las heridas y los traumas. Pero siempre el carácter muestra de varias maneras constantes, bloqueos de energía (tipos de carácter). Metafóricamente podríamos decir que el carácter es el disco duro *("hard drive")* donde se almacenan los datos dolorosos del pasado, pero sólo si se llama ese archivo los datos salen de nuevo en pantalla. Es decir, la memoria del cuerpo es la que constituye el carácter: los momentos críticos que se viven en la infancia pueden ser traumáticos (por la intensidad o la persistencia), y determinan la formación defensiva de la estructura del carácter, como también los lugares donde se reprime la energía.

Hay varias formas de trabajar con la propia energía[83], una de ellas es descargando la tensión que se ha tenido reprimida durante años, por ejemplo, en un llanto fuerte y acompañado de movimientos corporales. Pero si ese llanto no va precedido y seguido de un trabajo de toma de conciencia sobre lo que

---

82. Cfr. LOWEN, Alexander, *La espiritualidad del cuerpo*, Paidós, Barcelona, 1993, p. 213. Del mismo autor. *Bioenergética: terapia revolucionaria que utiliza el lenguaje del cuerpo para curar los problemas de la mente*, Diana, México, 1990, p. 339.
83. En lo que respecta al cuerpo hay técnicas verbales-cognitivas (interpretación, aclaración, confrontación), técnicas musculares y técnicas energéticas.

está pasando, se convierte en un simple desahogo, ya que al ser una liberación rápida de energía, no es posible trabajar las emociones que ella suscita. Si esa descarga energética no tiene simultáneamente un trabajo de reconocer datos y relacionarlos, no se puede llegar al punto de liberación total de la energía negativa acumulada, para iniciar el camino de sanación.

Un ejemplo permite comprender mejor: una persona en conflicto con su pareja, descarga rabia reprimida hacia su madre o en general hacia las mujeres, ayudada por la bioenergética, pero, si paralelo a esto, no hace un trabajo de reconocimiento personal que le permita descubrir la causa y el efecto de este conflicto de pareja, y le permita encontrar el mensaje que este hecho tiene para sí misma, el ejercicio bioenergético queda reducido a una descarga de energía (útil y de cierta forma curativa), pero la causa queda encapsulada y cargando nuevamente a la persona con energía reprimida, que generará, sin duda alguna, un nuevo estallido, en la misma relación de conflicto actual, o en otra. Es decir, si esta persona no consigue tocar su centro energético personal, la herida hará que posiblemente repita el conflicto que provoca su descentramiento, en una siguiente relación, aunque su nueva pareja sea muy distinta de la anterior.

Ahora bien, el trabajo con la bioenergética, da un lugar fundamental a la voluntad. Pero a la ***voluntad*** superior de la persona: aquella que lleva a establecer compromisos o a cambiar el rumbo de una vida, la que tiene que ver con la decisión de cambio, con la responsabilidad del propio crecimiento. La energía personal más creadora y profunda procede del núcleo de amor y verdad que nos constituye, del propio manantial, que se activa con el esfuerzo del propio conocimiento.[84]

Es necesario tener en cuenta que toda terapia que implique el cuerpo deja a la persona extremadamente vulnerable. Por eso, acercársele al nivel verbal (aunque deja sus defensas casi intactas) es el método menos invasivo. Sólo con un buen contacto personal *previo*, es posible dirigirse e intervenir en el cuerpo.

84. Cfr. GUILLÉN, Jaime, *La psicoterapia corporal energética*, ponencia presentada en las VI Jornadas de Psico-somatoterapia, Valencia. 1997.

## EL PROCESO VULNERADO: HERIDAS, MIEDOS Y COMPULSIONES

Cuando una persona es concebida, de ordinario nace bien porque viene equipada con lo que necesita (excepto aquellos que nacen "desahuciados" por invalidez). Pero puede sucederle algo negativo durante el período de gestación, en el momento del nacimiento o en los primeros momentos de contacto con el mundo exterior, que la deje marcada para la vida. Es decir, desde el seno materno puede haber un influjo traumático para la criatura: todo lo que la madre vivió negativo, lo asimila para ella. Allí puede gestarse la herida. Aquí puede estar la causa cuando no se "recuerdan" acontecimientos negativos de la infancia.

Las heridas son la fuente primera de la parte vulnerada. En esta parte se tiene todo lo que se ha recibido de golpes, de traumas. Todas las personas, cuando menos, tienen el trauma del nacimiento. Más aún si hubo alguna angustia en ese momento.

Desde el nacimiento hasta los siete años, la persona es muy susceptible de quedar marcada por heridas. La herida es lo que produce un golpe por algo que fue negado y a lo que se tenía derecho. Pero también un exceso: una sobreprotección o mimo exagerado puede provocar el mismo efecto. A la persona se le hiere desde el seno materno hasta que tiene uso de razón (aproximadamente 7 años), después de los siete años está la protección de los mecanismos de defensa, salvo en el área sexual que se es muy vulnerable hasta la época de la adolescencia.

Cuando se nace y durante los primeros años de vida, se tiene una necesidad fundamental: ***la necesidad de ser reconocido***[85]**.** La herida se produce por la falta de reconocimiento, por la falta de satisfacción de las necesidades psíquicas básicas, que se refleja en alguna(s) de estas situaciones:

---

85. Cfr. PRH. Nota de observaciones, 1981, p. 3. Véase también un material complementario en MILLER, Alice, *The Drama of the Gifted Child*, Basic Books, Nueva York, 1997, p. 130 y ss.

- ***No me reconocieron en mi identidad*** (negación de la identidad): No me aceptaron como yo era *(hombre o mujer), no me reconocieron por ser lo que era*. El niño necesita que lo reconozcan como es él(ella), no como quieren los demás que sea.
- ***No me sentí amado:*** *no me reconocieron por lo que era sino por lo que hacía: no me amaron gratuitamente, me hicieron chantaje con el afecto.* De ahí puede venir el "prostituirse": se hacen cosas para comprar el amor porque eso fue lo que se aprendió, *"si haces esto, te quiero…"*.
- ***Me abandonaron, no me atendieron:*** *no tuvieron tiempo para mí.*
- ***No me reconocieron en mi necesidad de ser tocado adecuadamente:*** *no recibí el contacto físico que necesitaba, no me acariciaron ni me tocaron.* Falta de contacto físico desde el pezón. Se requiere ser reconocido y acogido, no sólo en el ámbito de la cabeza, sino que se hace necesaria la expresión física, el abrazo que soporta, que apoya. Es necesario percatarse del daño que se produce por el inadecuado tocamiento a los niños. Se puede causar daño por la falta o el exceso, por tocamientos de tipo sexual y por casigos físicos.
- ***No me creyeron.*** *yo decía la verdad y no me creían. No me escucharon…* Cuando habla, el niño comparte lo mejor de sí mismo, por esto, es una gran ofensa que no se le crea.
- ***No apostaron por mí:*** *me creían tonto y me ignoraron o me sobreprotegieron… No creyeron en mis capacidades, no me estimularon.* La traducción del sobremimo es "yo no sirvo".
- ***Me compararon:*** *me decían que era menos que otro, no era como mi hermano…*
- ***No me dieron un rol:*** no tenía un papel en la familia, no me dieron un lugar, era sólo un número.
- ***No tuve seguridad:*** viví en zozobra económica, política, social, o familiar, y esto generó inestabilidad. Me insultaron, me agredieron. Sentí miedo a la separación de mis padres.

¿De quién se espera la satisfacción de estas necesidades? ¿Quiénes son los agentes provocadores de las heridas, por la falta de reconocimiento? Los principales agentes contribuyentes a la generación de las heridas, son, en disposición jerárquica: la mamá, el papá y los hermanas(os) –no necesariamente los padres biológicos, sino quienes desempeñaron ese rol–.

Actitudes de los padres, frases, exigencias de comportamientos superiores a su desarrollo, ser dejado al cuidado de varios miembros de la familia, ironías, burlas, chantajes y sobreprotección; ambientes inhóspitos, económicamente precarios, insalubres, violentos o de guerra; momentos de intenso dolor, y pérdidas afectivas tempranas, son algunas de las posibles formas de experimentar el no-reconocimiento, la no-satisfacción de las necesidades psíquicas básicas, generándose así las heridas.

Las heridas pueden haberse gestado y desarrollado en una matriz edípica. A pesar de lo complejo y discutible de la relación edípica, según Freud, resulta importante abrirse a la hipótesis de que las relaciones con el progenitor opuesto al propio sexo, como también con las del homogéneo, hablan de las heridas y matizan relaciones ulteriores.

Las heridas pueden darse por ***falta*** o por ***exceso***, Es decir, por la no satisfacción de la necesidad o por la satisfacción exacerbada de esta. Puede ser por ***un golpe*** fuerte, muy intenso o por la ***repetición*** constante de hechos de la misma naturaleza (cadena).

De las heridas surgen unos miedos básicos y de cada miedo, surge una compulsión específica. Esta compulsión se asocia con cada uno de los tipos de personalidad del Eneagrama[86].

| *MIEDO* | ***Eneagrama*** | *COMPULSIÓN* |
|---|---|---|
| A que me condenen | 1 | Perfeccionismo |
| A que no me quieran | 2 | Servicio |
| Al fracaso | 3 | Logro de éxito |
| A que me igualen, a que me vean como a los otros | 4 | Ser diferente |
| Al vacío, a sentirme sin nada, solo | 5 | Ávido de conocimiento |
| A que me abandonen, a no estar en el grupo | 6 | Norma |
| Al dolor | 7 | Placer |
| A la debilidad, a la ternura. a mostrar que no puedo | 8 | Poder |
| Al conflicto | 9 | Armonía |

La herida es punto de partida para la *culpa original*: sentir que la única razón posible de mi herida, es que hay algo malo en mí. Es la culpa que impli-

86. Teoría de origen oriental sobre el carácter, que distingue nueve tipos de personalidad. Más adelante presentamos una breve ampliación de este tema.

ca el silogismo fatídico: *Ellos –mis padres– no son los malos, luego yo soy el malo.* Esta culpa original potencia posteriormente la generación de culpa malsana.

Cuando se están provocando las heridas, en el inconsciente se está dando la gestación de los mecanismos de defensa (represión, negación, formación reactiva, desplazamiento, evasión, proyección, justificación, compensación y regresión): *"yo hago un muro para que no me golpeen más".*

En este muro que parece una fortaleza –mecanismos de defensa– existen unos agujeros por los cuales se salen (se muestran) las heridas: las compulsiones y las reacciones desproporcionadas, es decir, los miedos, la parte vulnerada, se aferran a los mecanismos de defensa para protegerse, pero a pesar de esto, la herida se manifiesta por las compulsiones, las reacciones desproporcionadas, la culpa malsana. Todo esto, además, sale simbólicamente en los sueños.

La compulsión es un acto repetitivo para escapar a los miedos... Es contrafóbica: se hace lo contrario al miedo básico. Pero todas las compulsiones *son "crónica de una muerte anunciada":* finalmente llevan al miedo que las generó.

Las compulsiones generan, además, una imagen distorsionada de Dios, hacen que no se perciba el Dios de Jesús, sino que se perciba un *dios fetiche:* perfeccionista, que exige sacrificios, ídolo de los méritos y el éxito, intimista, manipulable, juez implacable, ídolo del hedonismo, ídolo todopoderoso e ídolo obsesivo sexual[87].

De las causas de las heridas salen las reacciones desproporcionadas. Esta reacción desproporcionada agranda la herida que le hicieron a la persona cuando era niño y hace que la vea por todas partes: *"no me quieren, no soy importante".* Es decir, la reacción desproporcionada sobredimensiona la herida.

En síntesis:

* Sobredosis de lo mismo: *reacción desproporcionada.* Brota de la herida.
* Actuación contraria a lo que siento: *compulsión.* Brota de los miedos.
* Sentirme responsable de haver sido herido: *culpa original.* Brota de la herida.

Las compulsiones, las reacciones desproporcionadas y la culpa original son caldo de cultivo para la culpa malsana, es decir, el remordimiento que lleva a la negación del autoperdón, y por tanto, incapacita para experimentar la misericordia de Dios.

87. Cfr. CABARRÚS, Carlos Rafael, *La mesa del banquete del Reino, criterio fundamental de discernimiento,* Desclée De Brouwer (Caminos), Bilbao, 1998.

Todo este proceso vulnerado, provoca la baja estima. Ésta es alimentada y sostenida por las voces de los agentes provocantes de las heridas. Esas voces pueden estar aún activas, o pueden estar grabadas en el inconsciente y activarse ante determinadas circunstancias, actualizándose de una forma tan real como cuando fueron grabadas, generando el mismo efecto (y aún mayor).

El cuadro que presentamos en la pág. 125, ayuda a comprender en forma global el proceso vulnerado. Algunos de sus componentes ya están explicados, en otros profundizaremos más adelante.

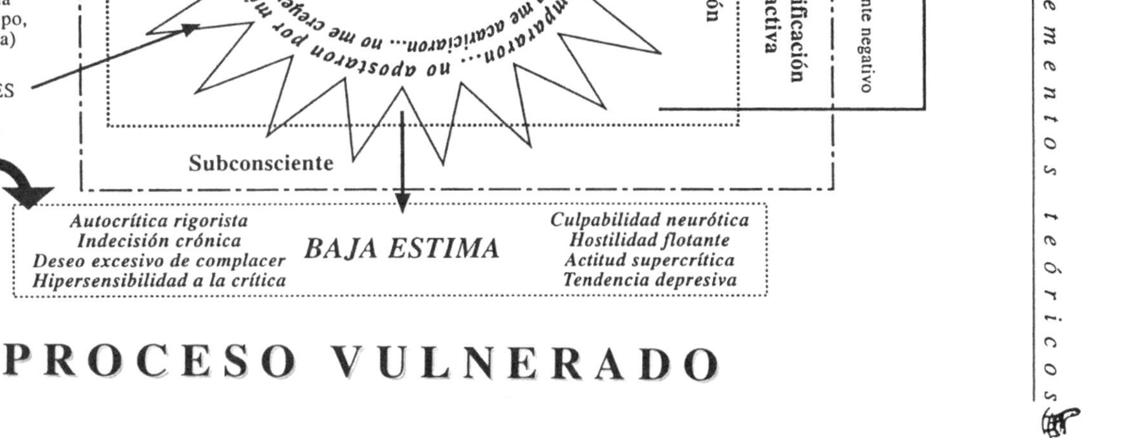

EL PROCESO VULNERADO

## EL ENEAGRAMA

El eneagrama es una compleja y antigua teoría de la personalidad de origen oriental, que ayuda a descubrir la verdad sobre sí mismo[88]. La palabra eneagrama es de origen griego; y está compuesta por dos elementos: *ennea* –nueve– y *gramma* que significa punto. El término eneagrama se relaciona con un símbolo representado por una circunferencia con nueve puntos de referencia interconectados entre sí según un orden determinado.

Se distinguen tres tríadas básicas (centros de energía): la del *corazón* o del sentimiento (tipos 2, 3, 4), la de la *cabeza* o del hacer (tipos 5, 6, 7), y la de las *entrañas* o del relacionarse (tipos 8, 9, 1). Estas tríadas están definidas por los centros donde nace y repercute –principalmente– la acción en cada tipo de personalidad. Toda persona tiene los tres centros, pero predomina alguno de ellos en el momento de actuar.

Del *corazón* se parte para responder a las necesidades humanas como el sentimiento, las relaciones interpersonales, y el amor. Se identifica a las personas que se inscriben en esta tríada, como las personas que tienen sus sentimientos a *"flor de piel"*.

La *cabeza* es desde donde se actúa para responder a las necesidades de armonía, raciocinio y orden. Es con la cabeza como se trata de buscar orden, sentido.

Las *entrañas* es desde donde se parte para responder a las necesidades de conservación, reproducción, superación, fuerza y poder.

88. Para la mejor comprensión de este tema, se sugieren algunos libros: PALMER, Helen, *El eneagrama: un prodigioso sistema de identificación de los tipos de personalidad*, Los libros de la liebre de marzo, Barcelona, 1997, p. 309. RISO, Don, *Tipos de personalidad: el eneagrama para descubrirse a sí mismo*, Cuatro Vientos, Santiago de Chile, 1997, p. 350. Del mismo autor, *Entendiendo el eneagrama*, Cuatro Vientos, Santiago de Chile. Del mismo autor, *Descubre tu perfil de personalidad en el Eneagrama*, Desclée De Brouwer (Serendipity), Bilbao, 1997. GALLEN, Marie-Anne y NEIDHARDT, Hans. *El Eneagrama de nuestras relaciones*. Desclée De Brouwer (Serendipity), 2ª ed., Bilbao, 1997.

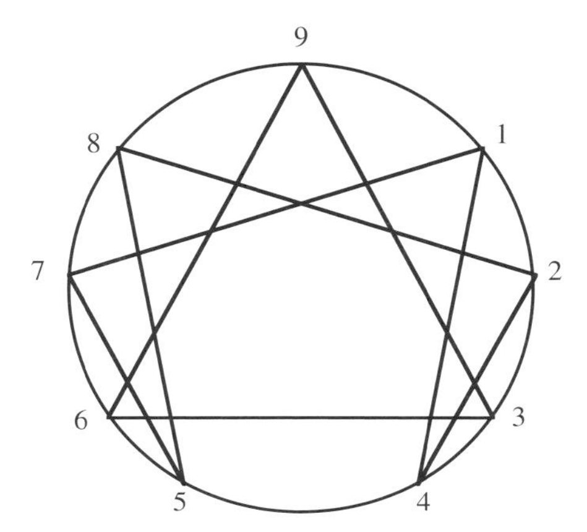


Cada persona, aún siendo única, comparte con un determinado grupo (tipología) unas características semejantes en lo referente a actitudes, miedos, motivaciones, valores, causas de estrés y compulsiones. Esto hace que puedan identificarse con un tipo de personalidad.

No existe un tipo de personalidad mejor que el otro, sino que cada una tiene ventajas, límites, y un camino de maduración por recorrer. Tampoco existe una persona cuyas características sean "puras", es decir, que tenga exclusivamente las características de un solo tipo de personalidad. Todas las personas tienen algo de las otras tipologías, pero hay una dominante.

El eneagrama permite adquirir elementos que sirven de *claves de lectura* para comprender, las heridas, las compulsiones, los miedos, los mecanismos de defensa, las motivaciones inconscientes, las sombras y la manera de relacionarse de cada persona. Pero, con el empleo del eneagrama para comprender el comportamiento humano, hay estar atentos al peligro de colocar **etiquetas** que señalan y juzgan a las personas. De aquí que solamente la propia persona pueda reconocer (con la ayuda de instrumentos propios para esto) qué número identifica más su manera de actuar, y sobre todo, desde dónde surge su propia compulsión[89] y su miedo básico.

La dinámica de comprensión de la personalidad propuesta en el eneagrama, no es estática: cada tipología tiene la posibilidad de moverse hacia puntos que la integran o desintegran, y hacia puntos que la complementan y la enriquecen. Cada tipo tiene dos puntos a los cuales puede tender: el que lo **integra**

89. Recordemos que las compulsiones son unos mecanismos inconscientes que ponen de manifiesto un temor básico nacido de las heridas. Cfr. Complementación teórica: *El proceso vulnerado: heridas, miedos y compulsiones*, p. 120.

(lo redime) y el que lo **desintegra** (lo hace perder). También tiene dos *alas*: los puntos contiguos a la derecha y a la izquierda. Las **alas** son dos tipos que también es importante conocer porque el comportamiento de la persona puede entenderse por la conjunción de las características del tipo que la identifica, más las del ala que predomina.

Hay algo en esta dinámica de comprensión de la personalidad, que queremos destacar: generalmente, se ha visto el punto de desintegración de cada número, como algo negativo de lo que hay que alejarse, sin embargo, hay en éste un aspecto importante que hay que descubrir[90]. Las concepciones tradicionales tienen como objetivo la construcción del ego, que es sólo un primer paso en el proceso personal. Para Zuercher (1996), lo más importante es la vida espiritual contemplativa que está en un nivel más profundo que el desarrollo del yo. En este sentido, sólo se crece realmente superando la propia estructura psíquica, enfrentándose a aquello que parece que atrae y seduce. Lo que queremos destacar es que los puntos tradicionales de "desintegración" muestran *la sombra* de algo que es realmente una potencialidad personal. Es decir, cada punto de desintegración tendría para cada tipo un desafío, un *demonio*[91] que enfrentar. Significa esto que, en el extremo contario de cada "punto de alarma" del tipo que desintegra, hay una fuerza que explorar: *qué desafío representa, qué mensaje tiene para sí.* Hay que partir de que el *demonio* tiene una genialidad que realmente "atrae" porque tiene una vibración interior de comunicación más allá de su sombra (del punto de alarma); por esto, si ante los puntos de desintegración la actitud única (o la básica), es la evitación, se esta perdiendo una gran riqueza. Es la contraparte de la sombra. Por ejemplo al uno lo deseintegra irse hacia el cuatro y asumir el punto de alarma de ese número –enajenación–; enfrentar este demonio significa reconocer el aporte de éste, es decir, que es posible enajenarse, porque hay una gran capacidad de sensibilidad. Al dos lo desintegra asumir la violencia del ocho, pero si toma la otra cara de esto, entonces descubre que es alguien con capacidad de manejar poder. Al cuatro lo desintegra el chantaje típico del dos, pero éste a su vez, puede revelarle la capacidad de amar a los demás.

El eneagrama no sólo aporta elementos para el análisis y el diagnóstico, sino que ofrece caminos para ir más allá de la propia compulsión (por ejemplo,

90. Cfr. ZUERCHER, Suzzanee, *La Espiritualidad del Eneagrama*, Narcea, 1996, citada por EMPEREUR, James, *The Enneagram and Spiritual Direction*, Continuum, Nueva York, 1997, p. 9.
91. Tomamos acá la palabra *demonio* en su más primitiva raíz griega –*daimon*–: como divinidad inferior, como genio, como sombra; pero siempre al fin algo ambiguo, con capacidad de hacer también el mal.

tender hacia el número que redime a cada tipo), y propone elementos concretos y observables de maduración personal. Pero, no es solamente un itinerario psicológico que permite el autoconocimiento, sino que es un apelar a la trascendencia, a ir a lo más profundo, a lo que llamamos *manantial*. El eneagrama permite darse cuenta de que la respuesta más profunda a sí mismos, si su horizonte tiende a los demás, es la respuesta a Dios.

En síntesis, el eneagrama ayuda a integrar la dimensión psicológica con la dimensión espiritual: la búsqueda de la autenticidad personal –liberada de miedos, compulsiones, reacciones desproporcionadas, culpa malsana y mecanismos de defensa–, con la búsqueda del Dios auténtico, el Dios de Jesús –liberada de imágenes fetichistas–.

## Características de cada tipo de personalidad

**Número UNO: el reformista/el idealista**

Es la persona idealista y racional. Consciente, con fuerte sentido de lo que es correcto e incorrecto. Defensora y maestra. Es agente de cambio: siempre trata de mejorar las cosas pero teme equivocarse. Moral y ética, crítica y perfeccionista. Es una persona bien organizada, ordenada y exigente, pero además puede ser impersonal, rígida y no muy emotiva. Tiene problemas con la ira y la impaciencia. En su mejor momento posee sabiduría y capacidad de discernimiento, es realista y noble. Puede ser moralmente heroica.

**Número DOS: el ayudante/el servicial**

La persona cariñosa y complaciente. Empática, sincera y de buen corazón. Orientada a la gente, amistosa, generosa y sacrificada. También puede ser sentimental, lisonjera y entrometida. Posesiva, hace las cosas para sentirse necesitada por otras personas: tiene agendas ocultas y motivos ulteriores. Orgullosa e ilusoria. Puede sentir que no se le aprecia y se le victimiza, y se vuelve manipuladora y controladora. En su mejor momento es persona altruista que ama incondicionalmente a otros.

**Número TRES: el motivador/el organizador**

Es la persona adaptable, orientada al éxito. Segura de sí, atractiva y encantadora. Ambiciosa y enérgica, pero también puede ser muy competitiva e impulsiva. Consciente de su imagen y demasiado consciente de lo que otros piensan de ella. Camaleón pragmático, calculadora, siempre dice y hace aquello que más le conviene. Busca atención y admiración, puede ser arrogante y oportunista. En su mejor momento se acepta a sí misma, y puede ser auténtica.

**Número CUATRO: el artista/el especial**

Es la persona intuitiva y reservada. Consciente de sí misma, sensitiva, introspectiva y amable. Individualista, expresiva y personal, pero puede ser demasiado temperamental. Vive en sus fantasías, sintiéndose diferente, melancólica. Está apartada de las formas ordinarias de vida. Se torna impráctica, y auto indulgente. Tiene problemas con la autoinhibición. En su mejor momento es persona inspirada y creativa, capaz de renovarse a sí misma y de transformar sus experiencias.

**Número CINCO: el pensador/el observador**

Es la persona perceptiva y cerebral. Alerta, intuitiva y curiosa. Capaz de concentrarse y comprender ideas complejas. Independiente, innovadora e inventiva, pero puede estar excesivamente preocupada con sus pensamientos y construcciones imaginarias. Se torna indiferente, pero es vibrante e intensa. Extraña y aislada, no tiene destrezas interpersonales, y puede ser cínica y excéntrica. En su mejor momento es visionaria, adelantada a su tiempo, capaz de ver el mundo en una forma totalmente nueva.

**Número SEIS: el leal/el compañero**

La persona comprometida y orientada a la seguridad. Cariñosa y agradable, capaz de formar fuertes lazos con otras personas. Confiable, responsable y digna de confianza, pero también puede ser muy parcial y sospechosa de otros, separa grupos. A la defensiva, contradictoria, evasiva y ansiosa: genera el estrés al tiempo que se queja de él. Cuidadosa e indecisa, pero también desafiante y rebelde, habla muy "fuerte" y busca chivos expiatorios. En su mejor momento tiene una mente abierta, es estable y digna de confianza, valientemente apoya al débil e indefenso.

**Número SIETE: el super optimista/el aventurero soñador**

Es la persona entusiasta y productiva. Extrovertida, optimista y espontánea. Juguetona, animosa, práctica y auto realizada, pero también puede extenderse demasiado sobre las cosas; superficial e indisciplinada. Adquisitiva, busca estimulación constante, se distrae manteniéndose siempre en movimiento. Desinhibida, excesiva y centrada en ella misma. Puede ser infantil, demandante e insensible a otras personas. En su mejor momento enfoca sus talentos en metas que valen la pena, aprecia las cosas y es alegre.

**Número OCHO: el líder/el jefe**

Es la persona agresiva y poderosa. Confiada en sí misma, fuerte y asertiva. Protectora, ingeniosa, va directo al punto y es decisiva, pero puede ser orgullosa y dominante. Siente que puede controlar su ambiente siendo confrontadora e intimidante: todo es una lucha de voluntades y rara vez se rinde. Puede volverse dura de corazón y ser abiertamente beligerante. En su mejor momento se autodomina, usa su fortaleza para mejorar la vida de las otras personas, se vuelve heroica, magnánima y grandiosa.

**Número NUEVE: el conciliador/el mediador**

La persona llevadera y complaciente. Acepta las cosas, confía y es estable. De buena naturaleza, optimista, directa y brinda apoyo, puede estar dispuesta a dejarse llevar por los demás para mantener la paz. Quiere que las cosas sean suaves y fáciles: tienden a ser complacientes, a simplificar los problemas y minimizar cualquier cosa perturbadora. Criatura de hábitos, puede ser pasiva y resistente al cambio. Obstinada, desatenta y negligente. En su mejor momento es indomable y capaz de grandes cosas, es capaz de unir a la gente y sanar conflictos.

El cuadro sinóptico, que presentamos en la pág. 132, nos presenta la característica básica de cada tipo de personalidad, en lo referente a: miedo fundamental, compulsión, deseo *(lo que quiere lograr)*, el sentido o imagen de sí *mismo (funciona si se siente…)*, tentaciones, vicio *(lo más negativo)*, virtud *(lo más positivo)*, modo de hablar, punto de alarma, número que lo desintegra y número que lo integra.

## SINOPSIS DE ALGUNAS CARACTERÍSTICAS

| | 1 | 2 | 3 | 4 |
|---|---|---|---|---|
| **TEMOR** *Miedo a...* | Ser condenado | No ser amado | Al fracaso | Ser comparado |
| **COMPULSIÓN** | Al perfeccionismo | Al servicio | A tener éxito | A ser diferente |
| **DESEOS** | Ser recto | Ser amado | Ser aceptado | Ser entendido |
| **IMAGEN DE SÍ** | *Yo soy razonable* | *Yo soy digno de ser amado* | *Yo soy deseable* | *Yo soy sensible* |
| **TENTACIÓN** *Ser demasiado* | Comprometido personalmente | Bien intencionado | Competitivo | Dado a la fantasía |
| **VICIO** | Auto-rigor Ira | Vanagloria Desinterés | Pereza en su desarrollo | Envidia |
| **VIRTUD** | Sabio | Caritativo | Amor a sí mismo | Emociones equilibradas |
| **MODO DE HABLAR** | Enseñando Moralizando | Aconsejando Adulando | Inspirando Cortejando | Lirismo Lamentos |
| **PUNTO DE ALARMA** | Intolerancia | Chantaje | Hostilidad | Enajenación |
| **# QUE LO DESINTEGRA** | 4 | 8 | 9 | 2 |
| **# QUE LO INTEGRA** | 7 | 4 | 6 | 1 |
| **DE DEMONIO A GENIO** | Enajenación / Sensibilidad | Violencia / Poder | Negligencia / Conciliación | Chantaje / amor a los demás |
| **FETICHE DE DIOS*** | dios perfeccionista | dios sádico | dios negociante | dios intimista |
| **LIBERACIÓN Si vive...** | Discernimiento | Altruismo | Autenticidad | Creatividad |
| **CAPACIDAD PSICOLÓGICA Pone a funcionar...** | Racionalización | Empatía | Adaptabilidad | Auto-conciencia |
| **CONTROL SOCIAL Ejercitarse en,,,** | Objetividad | Servicio | Autodesarrollo | Autoexpresión |
| **DESBALANCE Si se queda en...** | Siempre obigados | Sólo buenas intenciones | Competir | Vivir en la fantasía |
| **CONTROL INTERPERSONAL Se paraliza por...** | Rigidez | Posesividad | Proyectar imagen | Retirarse |
| **COMPENSACIÓN Por su temor cae** | Perfeccionismo | Darse importancia | Narcisismo | Autocompasión |
| **VIOLACIÓN En la acción tiende a** | Intolerancia | Manipullación | Hostilidad | Enajenación |
| **COMPULSIÓN** | Obsesión | Coerción | Complicidad | Auto-odio |
| **DESTRUCCIÓN** | Castigo | Somatización | Sadismo | Suicidio |

* Es un fetiche de Dios, por eso, es un dios siempre con minúscula

## DE CADA TIPO DE ENEAGRAMA

| 5 | 6 | 7 | 8 | 9 |
|---|---|---|---|---|
| Al vacío | Ser abandonado | Al sufrimiento | Ser débil | Al conflicto |
| A ser acumulador intelectual | A la norma | Al placer | Al poder | A ser pacifista |
| Entender el entorno | Poder confiar | Estar satisfecho | Ser autónomo | Tener unión con otro |
| *Yo soy conocedor* | *Yo soy agradable* | *Yo soy feliz* | *Yo soy poderoso* | *Yo soy pacífico* |
| Analítico | Dependiente | Acumulador de ideas | Auto-suficiente | Acomodaticio |
| Avaricia de conocimiento | Cobardía | Glotonería | Lujuria | Pereza Negligencia |
| Comprensión | Lealtad | Gratitud | Magnánimo | Apertura |
| Explicando Sistemático | Previniendo Limitando | Redundante Anecdótico | Desafiando Desenmascara | Monótono Errático / vago |
| Aislamiento | Dependencia | Dispersión | Violencia | Negligencia |
| 7 | 3 | 1 | 5 | 6 |
| 8 | 9 | 5 | 2 | 3 |
| Dispersión / Capacidad de entretenerse | Hostilidad / Construcción de la imagen | Intolerancia / Organización | Aislamiento / Sabiduría | Dependencia / estructura |
| dios manipulable | dios juez | dios hedonista | dios todopoderoso | dios de lo establecido |
| Comprensión | Valentía | Gratitud | Magnanimidad | Autoposesión |
| Observación | Compromiso emocional | Capacidad de responder a otros | Autoafirmación | Receptividad |
| Peritaje | Cooperación | Productividad | Liderezgo | Nutrición |
| Análisis interminable | Dependencia | Adquisición | Sólo el interés | Acomodaticio |
| Desapego | Evasión | Hiperactividad | Dominación | Pasividad |
| Discutir con todos | Autoritarismo | Excesividad | Combatividad | Resignación |
| Aislamiento | Dependencia | Impulsividad | Violencia | Negligencia |
| Fobias | Reacción exagerada | Conducta errática | Megalomanía | Disociación |
| Conductas desordenadas | Masoquismo | Histeria | Venganza | Despersonalización |

## MODELO PARA RECONSTRUIR LA HISTORIA SEXUAL

En la reconstrucción de la historia sexual[92] intervienen, sin duda alguna, mecanismos de defensa que dificultan la lucidez en este aspecto, y por tanto, obstaculizan el desarrollo de la matriz que ayuda a sistematizarla.

Las preguntas que ofrecemos a continuación pueden ayudar a despertar este área, a señalar bloqueos, a desmontar mecanismos de defensa, a desentrañar cosas que estén ocultas o quizá olvidadas.

No es un cuestionario para responder una a una cada pregunta, sino para detenerse en aquella que al escucharla produzca algún tipo de atracción: resonancia corpórea, inquietud, curiosidad...

Se sugiere leer pausadamente las preguntas antes de explicar la matriz que ayudará a recolectar la historia de la propia sexualidad.

### Nacimiento e infancia:

1. *¿Qué sabes sobre las circunsatancias del embarazo de tu mamá?*
2. *¿Qué sabes de tu nacimiento?*
3. *¿Quién te cuidó después de nacer?*
4. *¿Qué memorias corporales, historias, imágenes tienes sobre la manera como te cargaban, te bañaban, te cambiaban cuando eras bebé?*
5. *¿Qué palabras aprendiste para nombrar tus genitales? ¿para orinar? ¿para defecar?*
6. *¿Estuviste emfermo cuando eras bebé? ¿hospitalizado? ¿separado de tu mamá por algún tiempo?*
7. *¿Has visto fotos tuyas de cuando eras bebé? ¿qué sientes frente a ellas?*
8. *¿Qué lugar ocupas entre tus hermanos? ¿cómo te ha afectado eso?*

### Niñez:

1. *¿Cuáles son las primeras memorias espontáneas en el ámbito sexual que te vienen de tu niñez?*
2. *¿Cuándo niño que se te dijo sobre lo que era ser niño o niña? ¿Qué influencia ha tenido esto en ti?*

---

92. Para profundizar y comprender mejor este tema, se sugiere la revisión de esta bibliografía COLEMAN, Gerald, "Taking a sexual history", en *Human Development*, v. 17, nº. 1, Primavera 1996, p. 10-15; SAFFIOTI, Luisa M., "Crucial Issues in Psychological assessment", en *Human Development*, v. 18, nº. 4, Invierno 1997, p. 5-10; y FERDER, Fran y HEAGLE, John, *Your sexual self: pathway to authentic intimacy*, Ave María Press, Notre Dame, 1992, p. 175.

3. *¿Qué recuerdas acerca del llegar a entender tu identidad (ser varón o hembra)? ¿Cómo se valoraba a los niños y a las niñas en tu familia? ¿Los trataban de modo diferente? ¿Cuáles eran las reglas del vecindario con relación al comportamiento de los niños y al comportamiento de las niñas?*
4. *¿Cuándo niño cómo veías que se relacionaban los hombres y la mujeres? ¿Esto cómo te afectó?*
5. *¿Qué memorias tienes de experiencias de masturbación? ¿De juegos sexuales? ¿De la exploración de tu cuerpo?*
6. *¿Fuiste descubierto durante la exploración de tu cuerpo o en juegos sexuales? ¿Hubo algún castigo relacionado con el comportamiento sexual?*
7. *¿Recuerdas algún trauma, alguna experiencia dolorosa, algún abuso sexual durante este período?*
8. *¿Cuáles son tus preguntas o dudas sobre este período de tu vida? ¿Qué desearías saber que no recuerdas?*

## Adolescencia:

1. *¿Cuáles son tus primeras memorias espontáneas en el ámbito sexual, en este período?*
2. *¿Cómo obtuviste tu primera información sexual como adolescente?*
3. *¿Cuáles eran las actitudes de tus padres sobre la sexualidad? ¿Qué mensajes resibiste de ellos directamente? ¿Indirectamente?*
4. *¿Cuáles son tus recuerdos sobre experiencias de masturbación en este período? ¿Cómo te sentiste al respecto?*
5. *¿Cuál era el nivel de tu exploración sexual? ¿De tu experiencia sexual? ¿Qué sentimiento acompañaban estas experiencias?*
6. *¿Recuerdas alguna experiencia de trauma sexual o de abuso sexual durante tu adolescencia? ¿Cómo te afectaron? ¿Qué tipo de ayudas/sanación has tenido como parte de tu recuperación?*
7. *¿Cómo te sentías contigo mismo cuando eras joven? ¿Qué mensajes te dabas con respecto a la sexualidad?*
8. *¿Cómo ha sido tu historia de amistades y relaciones? ¿Tu experiencia de salir con chicos y chicas?*
9. *¿Qué conciencia tenías sobre tu orientación sexual? ¿Te preguntaste o pensaste alguna vez que tu orientación era homosexual? ¿Qué mensajes te dabas a ti mismo al respecto?*
10. *¿Con quién podías hablar de tu sexualidad cuando eras adolescente? ¿En quién podías confiar? ¿De quién podías obtener información?*

11. *¿Qué recuerdas sobre el contenido de tus fantasías sexuales durante este período?*
12. *¿Qué cosas –pensamientos, sentimientos, comportamiento– con respecto a la sexualidad te hacían sentir sulpable cuando eras adolescente?*
13. *¿Cómo tratabas y cómo te relacionabas con los chicos y chicas?*
14. *¿Recuerdas cuándo fue tu primera experiencia de excitación sexual? ¿La puedes describir?*
15. *¿Cómo te acuerdas de tu adolescencia? ¿Alegría? ¿Ansiedad? ¿Culpa? ¿Confusión?*
16. *¿Cuándo fue tu primer enamoramiento? ¿Fue correspondido?*
17. *¿Tuviste novio? ¿Ese noviazgo llevó a un comportamiento genital?*
18. *¿Cuándo te sentiste más excitado, más amado, más solo, más vulnerable, más vivo en esta etapa?*

## Adultez:

1. *¿Cuáles han sido tus experiencias y comportamiento sexuales como persona adulta?*
2. *¿De qué te sientes bien en cuanto a tu comportamiento sexual? ¿De qué te sientes mal?*
3. *¿Cómo te sientes al pensar en tu historia sexual?*
4. *¿Cuáles son tus mayores interrogantes hoy? ¿Tus memorias más excitantes? ¿Las más dolorosas?*
5. *¿Qué necesita sanación en tu historia sexual? ¿Qué necesita crecimiento? ¿Qué necesita cambio?*
6. *¿Cuál es la calidad de tus relaciones y amistades? ¿Cuán fiel eres a tus compromisos?*
7. *Si eres célibe, ¿cómo percibes el celibato: un don, un dolor, ambas cosas, otra manera?*
8. *¿Cuándo fue la última vez que te enamoraste? ¿Fue correspondido?*
9. *¿Cómo te sientes con tu cuerpo? ¿Cuánto lo conoces? ?Qué es lo que más te gusta de él? ¿Qué desearías poder cambiar? ¿Cuánto estás consciente de él?*
10. *¿Te sientes cómodo usando palabras sexuales?*
11. *¿Has sido abusado sexualmente como adulto o has abusado de otros? ¿Te has sentido avergozado?*
12. *¿Cuál es el contenido de tus fantasías sexuales hoy? ¿Hay alguna evidencia de violencia hacia otros? ¿De manipulación ¿De autodesprecio?* –es importante aclarar que una fantasía sexual sana supone que te ves en situaciones que te dan placer y que este es mutuo (ambas partes experimentan gozo, pla-

cer) son apropiadas a la edad y no incluyen la violación de ningún derecho de otros–.

13. *¿Cómo manejas tus sentimientos sexuales? ¿Con quién puedes hablar de tus sentimientos sexuales? ¿De tu sexualidad?*
14. *¿Cuáles son tus experiencias de buscar placer? ¿Te parece que son equilibradas y saludables?*
15. *¿Qué esperanzas tiene para el futuro con respecto a tu historia sexual?*
16. *Si pudieras hablarle a tus genitales, ¿qué quisieras decirles? ¿Qué quisieran decirte ellos a ti?*
17. *¿Has visto algún cambio en tu comportamiento sexual cuando varía –sube o baja– tu nivel de autoestima?*
18. *¿Cómo afecta el estrés a tu vida sexual?*
19. *¿Cuál es la emoción con la que te cuesta más tratar?*
20. *¿Cuáles son las necesidades más vitales en este momento de tu vida?*

## LAS REACCIONES DESPROPORCIONADAS

Las heridas son generadas por un golpe muy profundo, pero esas heridas no se ven directamente sino a través de algunas manifestaciones como las *reacciones desproporcionadas*[93]. Brotan del corazón de la herida y la sobredimensionan.

Las reacciones desproporcionadas son una respuesta mecánica e inconsciente. Son desproporcionadas con el reactivo presente, pero muy proporcionadas con lo que pasó antes. No se ajustan a los estímulos actuales aunque sí a los pasados. No hay proporción entre el presente y la reacción actual, pero sí la hay con el pasado.

Se caracterizan por ser una reacción muy fuerte, que se repiten con frecuencia o que dura mucho tiempo. Puede ser por exceso de reacción o por ausencia de ésta, por escándalo o por inhibición. Esta es la desproporción.

- Hay varios ***tipos*** de reacciones desproporcionadas:
  - *Tipo bomba atómica:* escándalo, drama.
  - *Mantener la reacción por mucho tiempo.*
  - *La reiteración:* se repite incansablemente.

Una herida ya sanada no produce reacciones desproporcionadas.

93. PRH. F.P.M. 12, 1979.

## LOS MECANISMOS DE DEFENSA

Los mecanismos de defensa son las murallas que pone la propia estructura psicológica para no permitir seguir siendo golpeado, para que no se le haga más daño. Son barreras para que no vuelva a pasar lo que se vivió en el pasado... Son mecánicos, no conscientes, involuntarios.

Son como unos amortiguadores frente a los golpes, o como unos salvavidas: salvan en momentos de oleaje fuerte, pero si se quiere nadar rápido, obstaculizan.

Cuando ya se es adulto, los mecanismos de defensa pierden fuerza e invitan a la persona a vivir bien la vida, a ser libre[94]. Hay que reconocer y agradecer lo importantes que fueron en un momento, pero hay que saber deshacerse de ellos. Lo que los suple es la propia seguridad personal: *"yo solo ya sé nadar"*.

- Algunos mecanismos de defensa son:
  - NEGACIÓN: se niega que hayan ocurrido ciertos eventos. Se borra de la memoria el hecho doloroso que aconteció. No se tiene memoria alguna, no se recuerda. Por eso es difícil salir de él, porque está en el inconsciente. La película "El príncipe de las mareas", ilustra claramente lo que es este mecanismo de defensa. Es el más inconsciente de los mecanismos.
  - REPRESIÓN: ahogo de una fuerza, una pulsión que se está sintiendo... Es típico en lo sexual, en lo religioso, en los afectos, los odios... Es importante preguntarse *"¿qué aspectos ahogo?"* En este mecanismo, no se acepta que se tiene alguna fuerza o pulsión, pero esta se refleja por algún comportamiento o actitud; "sale" por algún lado.

94. A. Maslow propone la *capacidad para percibir eficientemente la realidad* (en forma objetiva, honesta y coherente), como uno de los criterios que identifican a la persona madura. Cfr. GARCIA-MONGE, José Antonio, *Treinta palabras para la madurez*, Desclée De Brouwer (Serendipity), Bilbao, 1997, p. 240.

* FORMACIÓN REACTIVA: se hace lo contrario a lo que se tiene deseo de hacer...
* EVASIÓN: es el mecanismo de la "piel de pato": todo resbala... Aparentemente no hay nada que puede causar malestar, perturbación. Toda dificultad se evade.
* DESPLAZAMIENTO: se descarga el malestar, la ansiedad provocada, en un objeto diferente.
* PROYECCIÓN: se coloca fuera de sí, en otro, todo lo que no se acepta de sí mismo, y se condena en ellos.
* JUSTIFICACIÓN/RACIONALIZACIÓN: se presenta racionalmente el hecho –de suyo negativo– como válido en sí, lógico, justo, bueno. A mayor inteligencia, más posibilidad de racionalización.
* REGRESIÓN: ante un hecho doloroso se vuelve al pasado, a una etapa en la que hubo satisfacción, bienestar, y ausencia de conflicto.
* COMPENSACIÓN: exaltación de algún aspecto para esconder la carencia que hay en otro.

Lo fundamental es ir haciendo un proceso de percatarse del empleo de los mecanismos de defensa, para irse despojando de ellos: percatarse de que *"lo hice"*, pasar a darse cuenta de que *"lo estoy haciendo"*, y por último tener ya la lucidez de aceptar que *"lo iba a hacer"*. Es algo similar al examen particular que propone San Ignacio: darse cuenta para tomar conciencia e ir ganando en distancia y libertad frente a eso que está limitando ahora, aunque anteriormente haya ayudado.

## ACTITUDES BÁSICAS PARA EL FOCUSING

### Actitudes de la persona acompañada

Para que el **focusing**, la técnica corporal de Gendlin, cumpla el objetivo que se pretende, es fundamental que la persona acompañada se comprometa consigo misma y con quien la acompaña, con unas actitudes básicas:

- El ***pacto fundamental*** es decir siempre lo que se siente; partir de las ganas de sacar todo lo que se tiene dentro.
- Emplear expresiones corporales para manifestar lo que está sintiendo.
- Estar persuadido de que es ella quien manda, por tanto, puede y ***debe*** decirle a quien la acompaña por dónde llevarla.
- Tener ánimo y un gran deseo de cambio, de liberación...

Hay unos signos claros de que no se está en estas actitudes básicas y por tanto, no se está haciendo bien el Focusing:

- Se habla mucho, se cuentan historias.
- Se dice porque... o por qué.
- Se abren constantemente los ojos.
- Se habla en pasado.
- Se utilizan verbos de la lógica racional.
- No se nota que se quiere cuestionar a fondo: no se enfrenta bien a las causas evidentes, ni se le percibe deseo de entrar más allá de lo que ya conoce.

### Papel del acompañante

La actitud básica que requiere el(la) acompañante o guía es *"bailar al mismo ritmo del acompañado"*, es decir, mantener su propia respiración al ritmo del otro para que así vaya percibiendo en qué momento debe preguntar, intervenir. Así se evita presionar al acompañado, atosigarlo con preguntas, o impedirle profundizar lo que él quisiera.

El papel fundamental que desempeña el(la) acompañante es:

* Hacer de "piedra de moler"[95] para ayudar a cambiar de plano.
* Reflejar lo que está pasando con el cuerpo: *"¿has notado que tu pierna izquierda se está moviendo?"*.
* Preguntar constantemente *"¿qué estás sintiendo?"* El estribillo del acompañante es doble: *"¿qué estás sintiendo? ¿dónde lo sientes?"*.
* Emplear los verbos y exclamaciones propios de una partera, para ayudar a drenar la herida: *"eso... tú puedes... respira más fuerte... lánzalo fuera... empújalo..."*.
* Ir recogiendo los hilos positivos que surjan en el proceso, para hacer luego la sutura: por ejemplo, si hay energía en una parte del cuerpo, es desde ahí desde donde se recuperará la otra.
  El cuerpo hace cosas que son metáforas, que dicen qué hacer, por dónde ir: siente energía en las manos... entonces puede agarrar, puede pedir...
* Ayudar a la persona a suturar[96] después de que llegó hasta donde pudo para que no quede desorganizada.
  En el momento de la sutura se hace que lo positivo absorba lo negativo, con la respiración profunda. Los ***hilos*** son los elementos positivos que se han dado (sensaciones positivas, modo de luchar en el ejercicio, zona liberada en el cuerpo), la ***aguja***, la respiración profunda.
  El trabajo de síntesis es desde la fuerza que se experimentó en el focusing, en el enfoque corporal realizado.
* Hacerle ver al acompañado lo que aprendió... recordarle el proceso que vivió para ayudarle a hacer el ***NER***, y ayudarle a concretar los pasos que debe seguir.

Acompañar o guiar el proceso de focusing genera una actitud de vida para el acompañamiento cotidiano pues enseña a respetar a la persona en su proceso, a ayudarle a que se exprese, a no castigar, a no frenar... a construir y a partir desde donde construye y parte la persona acompañada, pues eso es lo que en definitiva le será terapéutico en su vida.

Cuando se va a hacer focusing es importante tener en cuenta la hora: para personas que penetran mucho en la sensación, es preferible hacerlo en horas

95. Ver nota nº. 33
96. Ver nota nº. 46.

de la mañana; para personas que les cuesta entrar, es más recomendable la noche. También es importante la postura: acostado, se introduce más rápidamente que sentado.

También es necesario tener en cuenta que esta herramienta puede traer algunas complicaciones en personas psicológicamente muy desintegradas o muy débiles. En este caso se recomienda hacerlo con mucha experiencia y teniendo algunas precauciones: hacerlo de día, con la persona sentada, estar listo para establecer contacto visual y táctil para asentarle en la realidad, y preferiblemente trabajar con herramientas como *hacer una nube, la armonización,* etc.

## LA BAJA ESTIMA

El nivel de estima (igual que las reacciones desproporcionadas y las compulsiones) es un indicador de la herida. Entre más grande es la herida, más baja es la estima, pues es efecto de la herida y de los temores.

Una estima adecuada se construye sobre estos cuatro puntos cardinales:

1. *Capacidad para reconocer las propias cualidades.*
2. *Capacidad para reconocer y trabajar los defectos personales. Reconocerlos y trabajarlos*, es decir, no usarlos como justificación de la manera de ser, sino querer y hacer cosas consecuentes con esto, que permitan irlos superando poco a poco, que haga posible que vayan perdiendo magnitud.
3. *Capacidad para reconocer y celebrar las cualidades de los otros.*
4. *Capacidad para acoger y soportar los defectos de los otros*. Es decir, capacidad de no ser implacables ante los defectos de los demás.

La baja estima es un ***fenómeno auditivo;*** tiene mucho que ver con un sistema de voces que hablan desde dentro a la misma persona: las voces que están grabadas y que le quitan su valor. Son voces negativas que dijeron en su casa (mamá, papá, hermanos), los amigos, la Iglesia, el colegio, la sociedad... *"no vales, eres tonto, no sirves, nunca hablas, no sabes, no entiendes, eres peor que..., etc."*.

Hay unos indicadores que ayudan a evaluar la baja estima[97]:

- *Autocrítica rigorista:* ¿Me siento siempre o con mucha frecuencia mal conmigo mismo?
- *Hipersensibilidad a la crítica:* ¿Me siento siempre o con mucha frecuencia atacado y tengo resentimientos?
- *Indecisión crónica:* ¿Tengo miedo exagerado a equivocarme? ¿Me cuesta tomar decisiones?
- *Deseo excesivo de complacer:* ¿Puedo decir que no? ¿Hago cosas para que me quieran? ¿Siento que compro el afecto?

---

97. Cfr. BONET, José V., *Sé amigo de ti mismo*, Sal Terrae, 6ª ed., Santander, 1997, p. 154.

* *Culpabilidad neurótica:* ¿Me condeno por conductas no siempre malas objetivamente? ¿No es tan malo, pero yo en mí no lo perdono?
* *Hostilidad flotante:* ¿Me sienten de ordinario agresivo?
* *Actitud supercrítica:* ¿Me siento mal, me disgusta, me decepciona casi todo? ¿Todo tiene su "pero?".
* *Tendencia depresiva:* ¿Me siento muchas veces deprimido?

La calificación (autoevaluación) de cada uno de estos ítems de 0 (nunca) a 9 (siempre), da una idea del nivel de estima. Puntuaciones iguales o superiores a cinco, dan una indicación clara de una baja estima. A mayor puntuación en cada ítem, menor nivel de estima.

## LAS SOMBRAS

Las sombras son elementos, factores (a veces positivos), o limitantes que vienen con la vida, o fuerzas que están por despertarse, que aún no han sido integradas y que pueden vivirse dentro del paquete de la negatividad. Hacen referencia a la realidad metafísica, física, social, psíquica e histórica.

Esto constituiría la sombra personal. Jung, en quien nos inspiramos en este capítulo, habla del Mal absoluto, como la Sombra Arquetípica, la sombra colectiva. Sobre este aspecto, sin embargo, no trataremos en este momento.

No tienen que ver con las heridas, no nacen de ella, pero se convierten para la persona en un punto oscuro. Son una parte de la realidad personal con la que siempre se va a topar y que, por tanto, tiene que integrarse. Pueden confundirse con lo vulnerado, pero no es lo vulnerado. Por eso están en el paso de la herida al pozo. No son la herida pero sí aceleran y acentúan el proceso vulnerado. Como dice Jung, "la sombra es tan sólo un poco inferior, primitiva, inadaptada y torpe. Incluso contiene cualidades infantiles o primitivas que en cierto modo podrían vitalizar y embellecer la existencia humana, pero ¡las costumbres lo prohiben!".

Pueden ser dos cualidades que se viven como sombra porque no se ha logrado integrarlas (trabajo vs. oración), o una cualidad que no ha terminado de salir, que no se ha terminado de desarrollar. Es algo que no satisface plenamente pero ahí está y es necesario asumirlo para redimirlo. Por ejemplo, la inteligencia, cuando se rechaza porque es causa de conflicto, es una sombra. Tiene que ser integrada, hay que sacarle el mensaje para que sea asumida.

Generalmente las sombras son positivas pues son una cualidad dormida, o una limitación a la que se le puede sacar algo positivo; si a una limitación no se le saca nada positivo, es que se está desintegrado, y por tanto hay que trabajarla, hay que seguir el camino de crecimiento que señala.

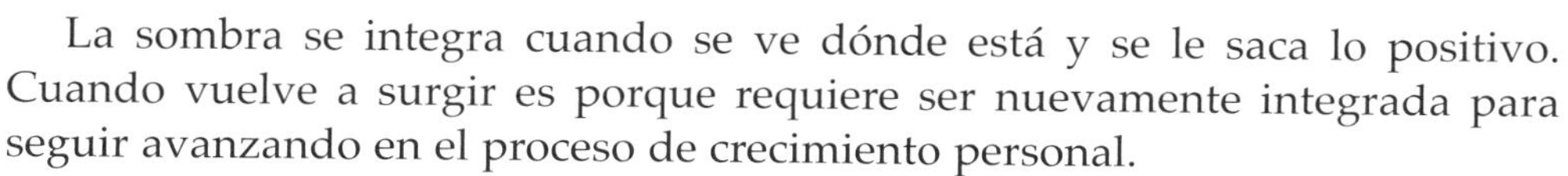

La sombra se integra cuando se ve dónde está y se le saca lo positivo. Cuando vuelve a surgir es porque requiere ser nuevamente integrada para seguir avanzando en el proceso de crecimiento personal.

La sombra es acompañante y perseguidora... me "*persigue*"... Es como cuando da el sol por la espalda y se hace la sombra: *no tengo porqué asustarme porque soy yo, pero tengo que saber que se ve y que también desaparece.*

Las sombras pertenecen al inconsciente, desde la perspectiva Jungiana: el inconsciente constituido por fuerzas positivas que están todavía por despertar.

## El proceso de individuación en la perspectiva de Jung[98]

Jung plantea unos momentos que delimitan el proceso de irse haciendo persona. El avance en estos pasos va marcando el proceso de ser yo mismo. *La meta del proceso de individuación es la síntesis del sí mismo*[99].

Son los grandes dilemas que encuentra el hombre en su proceso de integración, de individuación, y que marcan diferentes momentos en el proceso de crecimiento:

- *Primera:* ***etapa de la integración de la sombra***. Es la primera gran etapa de la individuación de la persona. ¿Cuándo se vive este proceso de integración y crecimiento? Cuando el inconsciente dice "*ahora*" y lo dice por los sueños y la sincronicidad[100]. Si no se trabajan las sombras, éstas alimentan el poder oculto del lado obscuro de la naturaleza humana.
- *Segunda:* ***etapa de la integración del ánimus-ánima.*** Integración del componente femenino y el masculino. Armonización, articulación de lo femenino y lo masculino como alteridad en sí mismo. El tiempo de la adolescencia y de la menopausia son momentos importantes para esto.
- *Tercera:* ***etapa del encuentro consigo mismo.*** Es la identificación honda con el yo más profundo, el yo que brota de lo más puro de la propia identidad. Es el descubrimiento del manantial. De esta estapa y se desdoblan dos dimensiones cruciales.

98. Para ampliar y tener contacto directo con Jung, se facilita hacerlo con autores que presentan de una forma sistematizada su pensamiento. Para esto, recomendamos la consulta de SHARP, Daryl, *Léxico Jungiano*, Cuatro Vientos, Santiago de Chile, 1994. Los diversos conceptos que presentamos pueden profundizarse en dicha obra, que además de compendiar la obra Jungiana, hace referencias a los textos originales. También es interesante y práctica la última parte de la obra: RICHO, David, *Cómo llegar a ser un adulto*, Desclée De Brouwer (Serendipity), Bilbao, 1998.
99. SHARP, Daryl, op. cit., p. 107.
100. Serie de hechos y personas que suceden en un momento común. Ver explicación más adelante.

–***Dimensión de la relación con la sabiduría (diferente a conocimiento).*** Sabiduría en latín tiene la misma raíz que saborear: saber saborear las cosas profundas, es decir, aprender a saborear y valorar lo que realmente vale. Es el encuentro con la sabiduría, de ordinario se descubre en una persona madura, un "sabio" o una "sabia": es como el encuentro de la perla del evangelio. Se da generalmente en el encuentro con personas que invitan a lo bueno, a lo verdadero, aquellas que hacen que surja lo mejor de mí mismo.

–***Dimensión de la relación con lo divino.*** Lo numinoso, algo que no se conoce y que, sin embargo, atrae. "El Dios dentro de nosotros", que diría Jung.

Estos momentos no son lineales sino cíclicos, en espiral, en forma elíptica: en determinadas circunstancias hay que volver a ellos pero a otro nivel.

## Tipos de sombra:

*Aspectos ocultos o inconscientes de sí mismo, tanto positivos como negativos, que el yo ha reprimido o nunca ha reconocido*[101].

* *Sombra metafísica*[102]*:* miedo a la enfermedad y a la muerte, a la vejez, a la soledad.
* *Sombra corporal:* aspectos físicos, la que tiene que ver con el cuerpo, hechos de salud, lo que no gusta, lo que no se acepta.
* *Sombra de la estructura psicológica:* la estructura de personalidad ansiosa, depresiva, maníaco-depresiva. La identidad sexual (aceptación del género masculino o femenino). Malos funcionamientos de las diferentes dimensiones –por usarlas demasiado o no usarlas–: de la inteligencia, la voluntad (voluntarismo / abulia) y la sensibilidad (hipersensible / insensible).

  Las sombras por malos funcionamientos requieren ser re-entrenadas, hay que aprender de nuevo a manejarlas[103].
* *Sombra teologal*: dificultad para entender y aceptar la condición humana. *"No hago el bien que quiero y lo que no quiero lo hago"* (Rom 7,15).

101. SHARP, Darly, op. cit., pág. 187.
102. Hay algunas sombras más estructurales que a todos nos acompañan, por ejemplo: las carencias –extremas en la miseria–, la imagen –extrema en la difamación–, la enfermedad –extrema en las mutilaciones y las dolencias crónicas–, y la muerte. De ellas, sin saberlo habla San Ignacio de Loyola en el *Principio y Fundamento* cuando pide a Dios libertad frente a ellas. (Cfr. Ejercicios Espirituales de San Ignacio).

* *Sombra de las opciones:* y sus consecuencias. Vida religiosa (celibato, obediencia), matrimonio.
* *Sombras socio-políticas-económicas:* el género (en algunas partes, el ser mujer se puede vivir como sombra); la etnia, la condición social de la familia.
* *Sombras de las cualidades:* a veces la mejor cualidad se vive como sombra, por eso es un gran reto el proceso de integrarla. En muchas ocasiones, las cualidades más identificantes generan una gran sombra porque sólo se les ve el aspecto negativo, las dificultades que causa, y se deja de lado la otra cara, la positiva, lo que trae de potencialidad[104]. Esta sombra es el contrapunto de mis mejores cualidades.
* *Sombra del demonio/genio de cada tipo de eneagrama:* lo que se desintegra de cada tipo, no sólo se puede ver como demonio, sino que es posible sacarle también su genialidad, así: al demonio de la intolerancia del número uno, sin embargo, sacarle la genialidad de la capacidad de organización; al chataje del tipo dos, descubrirle la capacidad de amar a los otros; a la hostilidad del número tres, detectarle la capacidad de construir la propia imagen; a la enajenación del tipo cuatro, resaltarle la capacidad de sensibilidad; al aislamiento del número cinco, destacarle la capacidad de sabiduría; a la dependencia del tipo seis, sacarle la capacidad de apoyarse en estructuras; a la dispersión del número siete, descubrirle capacidad de entretenerse, a la violencia del tipo ocho, detectarle la capacidad de manejar el poder; a la negligencia del número nueve, despertarle la capacidad de conciliación.

Jung señala unos agentes (modos) que desatan la vivencia de la etapa de la integración de las sombras, es decir, unos canales de actualización que hacen que las sombras se noten cuando deben ser trabajadas para que haya crecimiento:

103. Sobre la sombra, la teoría de la individuación junguiana y la espiritualidad ver: FILELLA, Jaime, "Los ejercicios Espirituales y la Psicología de Carl Jung", en ALEMANY, Carlos, GARCÍA-MONGE, J. A., *Psicología y Ejercicios Ignacianos,* 2ª ed. Mensajero-Sal Terrae, Bilbao-Santander, vol. I, 1997, pp. 310-329.

104. En cristiano esta sombra se entiende con el texto de la prostituta (Lc 7,36): sólo se ve la parte negativa, su comportamiento "malo", pero no ve que también tiene una gran capacidad de amar. Y eso es exactamente lo que hace Jesús: le descubre la parte positiva de su sombra y se la exalta haciendo que sea ella, justamente la mal vista por su comportamiento, quien lo unge; es decir, no sólo le descubre sino que le pone una tarea, no sólo es la primera en el reino, sino que tiene un trabajo en él.

* *Los sueños:* en cuanto revelan diferentes momentos del desarrollo, por ejemplo, la sabiduría, las sombras, lo de Dios, etc. Van mostrando por dónde hay que trabajar. El inconsciente positivo lanza material simbólico para que se crezca.
* *La sincronicidad:* Serie de hechos y personas que suceden en un momento común. Cosas, eventos, acontecimientos, lugares o personas que viviendo en un mismo tiempo se alteran entre sí, traen un potencial de cambio si hay apertura. Por ejemplo, las diferencias entre las personas que participan de un taller, hacen que el grupo sea diferente[105]. Son materiales de desafío que retan a avanzar. Es la "providencia". Es una química.[106]

105. Para trabajar esto en un grupo de vida, puede hacerse invitando a los participantes a expresarse uno a uno qué cosas positivas o negativas se han resaltado entre sí. No es para discutir, ni justificar, ni defenderse ante lo que le están diciendo, sino para hacer conciencia de la sincronicidad que se ha presentado.
106. Cfr. ÁLVAREZ, Ramiro, "El sentido de la sincronicidad", en ALEMANY, Carlos (Ed.), *Relatos para el crecimiento personal*, Desclée de Brouwer, 4ª ed., Bilbao, 1998, pp. 31-48.

## DINÁMICA DEL PERDÓN

El perdón, la capacidad de perdonar, es un signo de salud psíquica y madurez cristiana. Lo que más oscurece el pozo es la incapacidad de perdonar.

Con respecto al perdón, constantemente se escuchan frases o se ven actitudes como estas, que revelan una gran confusión con respecto a lo que es realmente el perdón:

- *"Perdono pero no olvido"*
- *"Dios no perdona hasta que el otro no perdona"*
- *"Perdona o Dios no te perdona"*
- *"Yo no puedo perdonarte, que te perdone Dios"*
- *"No soy Dios para perdonar"*
- *"Eso no tiene perdón de Dios"*
- *"Necesidad de pedir perdón constantemente y por todo"*
- *"Tienes que perdonar porque Jesús dijo que perdonáramos hasta 70 veces 7"*
- *"No tengo nada que perdonarte"*
- *"Es mejor pedir perdón que permiso"*
- *"Borrón y cuenta nueva"*

Existen también algunas concepciones falsas con respecto al perdón:

- *Identificar perdón con olvido.* Si se identifica perdón con olvido, se va por mal camino, al contrario, sólo se puede perdonar bien si se recuerda bien. Sólo si está enfrente lo que pasó se puede perdonar, porque perdonar implica integrar y esto supone un proceso, si no se está escondiendo... Frases como *"olvido y perdón"*, o *"borrón y cuenta nueva"*, usadas en el contexto de los crímenes cometidos en represiones y guerras en América Latina, son usadas como la mejor garantía de volver a cometer los crímenes[107].

107. Esto del perdonar trasciende el ámbito de lo personal y tiene repercusiones socio-políticas cuando se traslada al campo de la *"recuperación de la memoria histórica"* –como ha sido

Hay personas que se sienten mal porque no olvidan, y piensan entonces que no han perdonado. Perdonar exige tener claros todos los datos, exige el recuerdo. Más aún, no olvidar es precisamente la condición o posibilidad de que se puedan integrar las cosas. Es necesario para el proceso del perdón recordar.

Incluso, es una señal de salud mental y de madurez humana decir: *yo perdono pero no olvido.*

* *Identificar el perdón con la negación.* Es como decir *no pasó nada.* Esto se convierte en una bomba que estalla con el tiempo. Si se niegan las ofensas y las injusticias que se han cometido, no será posible perdonar de verdad. Es necesario recordar los hechos, y además el dolor, la vergüenza, la tristeza y la cólera que causaron, para poder iniciar un proceso de perdón en el que se desahogue y se canalicen de una manera aceptable y sana estos sentimientos.

* *Identificar el perdón con un acto de voluntad: "si quisieras, podrías perdonar".* Esta concepción la enseñan las mamás: *"perdona a tu hermanito"*, igual en la escuela, en la Iglesia. Esta idea hace pensar que el perdón es algo que se impone. Cuando se constata que, a pesar del deseo, hay incapacidad para perdonar, entonces, se crece el sentimiento de malestar y de culpa. Efectivamente perdonar implica la voluntad, pero requiere otra gran cantidad de cosas. Es un proceso... Supone algo de voluntad pero es más complejo.

  También es equivocado negar la necesidad de perdonar al otro. Cuando se afirma que no hay nada que perdonar, en el fondo, se está diciendo *"tú no eres quién para ofenderme, no eres de mi talante para poderme molestar"*.

* *Identificar el perdón con una acción exclusiva de Dios.* Cuando se asume el perdón como una acción que únicamente puede hacerla Dios, la persona se exime de su responsabilidad ante los hechos, y de su necesario compromiso en la transformación de dicho sentimiento.

  Igual de errónea es la percepción del perdón como un mandato de Dios unilateral, que no cuenta con la realidad psicológica del hombre. Jesús nos pide perdonar 70 veces 7... ¡pero no en 7 minutos! ¡no se puede usar el evangelio para omitir el proceso humano lógico del perdón!

---

el caso de El Salvador y Guatemala–. Las fuerzas nefastas económicas y políticas, pretenden el olvido, la amnistía, el borrón y cuenta nueva. El asesinato de Monseñor Gerardi en Guatemala (abril 1998) da testimonio de ello.

* *Identificar el perdón con renunciar a que se haga la justicia.* Perdonar no significa que haya que eximir a la persona de asumir las consecuencias de su falta. Si una persona hace un atentado contra otra, se puede perdonar, es decir, se puede dejar de sentir cólera, rencor y, deseo de venganza hacia ella, pero no implica que no se tenga que empezar un proceso de rehabilitación vigilado socialmente o que no se tenga que reparar los daños (si es posible), o no se tenga que cumplir con las leyes civiles que hay al respecto.
  ¿Quién dice que el perdón es negar que lo malo es malo, y lo bueno es bueno? La justicia es la aplicación de las leyes que se han discutido, que se han hablado, que vienen de la tradición...
  Perdonar no es entonces, renunciar a la justicia, sino hacer justicia en la ley, no sólo que se haga justicia, sino hacer que las leyes sean justas.
* *Creer que perdonar es volver a la situación que se vivía antes.* Querer que se *haga "borrón y cuenta nueva"*, que todo empiece como si nada hubiese pasado. Es como unos huevos revueltos, no se pueden volver al cascarón, se rompió algo que no puedo devolver. Que todo sea nuevo exige confianza, y ésta no se genera sólo con decir te perdono. En muchas ocasiones, se puede dar el perdón, pero no se puede restaurar la situación que se vivía antes de la ofensa.

Estas imágenes falsas repercuten en el ámbito psicológico porque hacen sentir malestar y llevan a la culpabilización.

El perdón es un camino... Necesita tiempo para recorrerse... No es como pasar una página.

Cuando el proceso de armonización se traba, se atora, se puede ayudar a desbloquearlo con el proceso del perdón, en cada uno de los elementos por armonizar.

## ¿Cómo darse cuenta de que realmente se está en el proceso del perdón?

El gran indicador de que se está en un proceso de perdón es que se haya terminado el deseo de venganza y el resentimiento (la indiferencia es una manera de resentimiento).

Cuando persiste el sentimiento negativo es que no se ha podido expresar toda la cólera, o no se ha sacado el mensaje al acontecimiento.

Es importante tener claro que *justicia* es diferente a *venganza*... ¿Cómo distinguir cuándo el móvil es vengativo y cuándo es de justicia? Porque en la venganza se es juez y parte: se toma la justicia en las propias manos. Es un fenómeno más emocional. En cambio la justicia es un acto en el que se confrontan hechos contra leyes, contra una estructura jurídica, en donde hay ciertas penalidades por ciertos actos. La justicia nace de las leyes, de los derechos humanos que están legislados desde hace mucho, y en donde la infracción a ciertas cosas tiene unas penalidades.

Los otros indicadores son saber canalizar y expresar la cólera y la tristeza, encontrar la ventaja, el mensaje que deja el acontecimiento, y tener la capacidad de ver al agresor con ojos diferentes, una mirada que permita captar lo positivo que hay en él[108].

108. Véase herramienta terapéutica: *El camino del perdón*, p. 89.

## EL AUTOPERDÓN

A veces se cree que otros –o Dios– no nos han perdonado, pero soy yo mismo quien no me he perdonado[109]. El perdón a mí mismo es un proceso que no es fácil porque toca el miedo más fuerte, el fundamental[110]... es como si no me perdonara haberme expuesto tanto.

No puedo perdonarme a mí mismo cuando por mis propias actitudes reproduzco en el presente los efectos de mi herida: *yo mismo soy mi propio malhechor*. O reproduzco en otros una escena similar a la que originó mi herida. La culpa se alimenta de la herida y se retroalimenta de la compulsión.

Ejemplo aclaratorio:

> *La herida es "no me reconocieron"... Esa herida provoca el gran susto a la condena... yo actúo con miedo a la condena, y mi manera de actuar me lleva a que la gente me condene: me vuelvo tan tajante que la gente me censura, y entonces me culpabilizo porque permití que me hirieran, y hago que mi temor se cumpla.*

La culpa (el culpabilizarse) está vinculada con la herida: los primeros agentes de los golpes que generan las heridas son mamá y papá, pero como no puede creerse que ellos sean los malos, entonces se deduce que uno mismo es el responsable: el malo debo ser yo...

Esto genera en sí mismo el fenómeno del amor-odio. El amor-odio a los padres es una situación normal que pasa y pesa mucho; hace que la cólera que se siente hacia ellos se revierta en culpa hacia mí mismo pues no se ve que la culpa sea de los padres sino que el culpable es uno mismo. Por eso me niego a

---

109. Cfr. ZABALEGUI, Luis, *¿Por qué me culpabilizo tanto?*, Desclée De Brouwer (Serendipity), Bilbao, 1997, p. 212. Cfr. también GARCÍA-MONGE, J. A., *Los sentimientos de culpabilidad*, Editorial S.M., Madrid, 1991.

110. Véase la complementación teórica: *El proceso vulnerado: heridas, miedos y compulsiones*, p. 120.

mí mismo el autoperdón, porque mi comportamiento propicia ser herido nuevamente y entonces hace que se realice el miedo que tanto temo.

Se siente culpa porque se experimenta que la razón por la cual fui herido tiene que ver conmigo. Esto es lo que llamamos *culpa original*. Por eso, puede decirse "*cuánto me culpabilizo muestra cuán herido estoy*". En otros casos se puede tener culpa sana, pero en las cosas que hacen resonancia en la herida, siempre es malsana.

Dentro del fenómeno de la culpa malsana, se puede encontrar una variación bastante sutil pero más dañina: la culpa encubierta. No se manifiesta abiertamente en la "ansiedad de sentirse culpable", sino que hay que desenmascararla desentrañando el origen de ciertos comportamientos de corte compulsivo, que dan la idea de "estar pagando algo".

Lo primero que cabe decirse es que debemos estar muy atentos a descubrir culpa en lugares donde no aparece que fuese eso evidentemente: el no aceptar errores, el verlo todo desde la negatividad, el perfeccionismo, el servir sin medida, el trabajo excesivo, el no encajar en las cosas, el llenarse de lo que no quita el vacío, el aferrarse a una ley, el buscar el placer, el buscar el poder, el buscar una tranquilidad enajenante, son comportamientos que brotan de las compulsiones y pueden dejar un malestar que pueden estar encubriendo una culpa. Todas las compulsiones son autocastigantes. Es decir, son formas de autocastigo –inconscientes–, por una culpa no perdonada. Es decir, las compulsiones por ser una reacción contrafóbica, pueden denotar un autocastigo en la medida que son más repetitivas y desgastes. El temor a la enfermedad, a envejecer, a la muerte, son también sentimientos de culpabilidad inconscientes. Son formas de autocastigo que brotan de la culpa. De igual forma las ascesis drásticas de todo tipo (V. gr.: deportivas –privaciones alimenticias, restricciones de horarios–, científicas –restricciones sociales y recreativas– o de claro contenido religioso –ayunos, penitencias–) son indicadoras de la posible existencia de fenómenos de la culpa encubierta que lleva el autocastigo, también encubierto.

El esquema que se sigue es este:

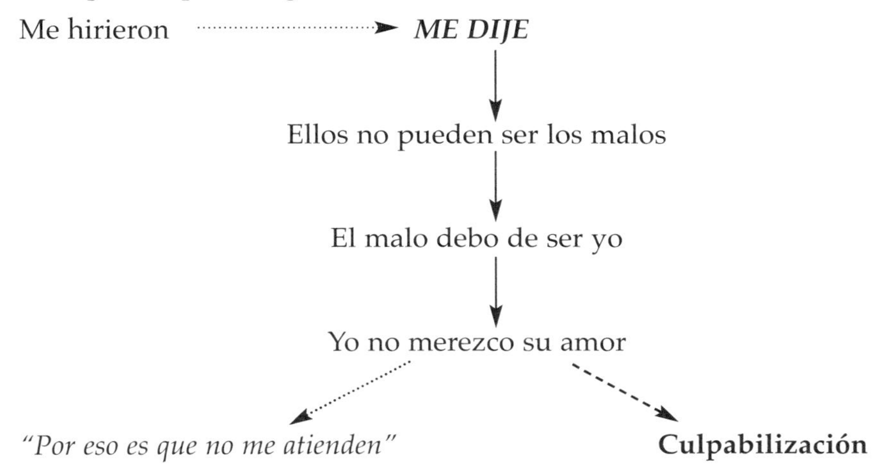


Esta primera experiencia de culpa puede evolucionar en dos líneas:

* ***Culpa malsana***

  Se experimenta si no se ha cerrado, si no se ha sanado suficientemente la herida. Es el **remordimiento**, *re-morderme*: morderme a mí mismo. La preocupación es que me acerca a lo que me hirió y se rompe la propia imagen con lo que se hizo. Lleva a la culpabilización sin límites.

  La culpa malsana surge de heridas no trabajadas... Las heridas hacen que surjan miedos... Cuando se procede por miedo, se cae en lo temido y se auto acusa de haberlo hecho.

  La culpa malsana surge del miedo a que con alguna acción que se haga, se va a permitir que vuelva a pasar lo que pasó cuando era niño.

  Esta culpa no permite preocuparse de los demás, la persona se queda amarrada a sí mismo. Lo que hace es mantener el narcisismo: de aquí se crece el yo fatuo.

  Es el narcisismo al revés, me magnifico en mi capacidad de hacer el mal: *soy un monstruo*. Es una percepción tan grande sé si mismo que se ve como la causa de todo lo malo que pasó. Es decir, tan narcisista es quien se cree totalmente bueno, como quien se cree totalmente malo: lo que hace narcisista a la persona, es quedarse amarrada a sí misma, viéndose como centro.

  La culpa malsana, narcisista, en "positivo" se experimenta como "*se cayó mi imagen*" y en "negativo", como "*soy malo, soy perverso*".

Hay palabras y expresiones típicas de este tipo de culpa: *"qué mal quedé, qué van a pensar, cómo fue que lo hice, ahora ya se supo"*.

La culpa malsana también se da cuando se hiere por donde se fue herido; por eso es que se presenta la sensación de "infierno".

La culpa que no se perdona es la que tiene que ver con la herida: Cuando haga algo de lo que a mí me hicieron o cuando me expongo con mis acciones a que se repita la herida, se experimenta, entonces, la culpa malsana. Por ejemplo: cada vez que abandono, reproduzco el escenario de mi propia herida, y eso no me lo perdono.

En síntesis, la culpa malsana se presenta cuando hago lo que me hicieron, cuando lo repito, cuando hiero por donde he sido herido, o cuando me expongo a que me vuelva a pasar lo mismo.

Este tipo de culpa se acrecienta en muchas ocasiones con la vivencia religiosa: *"Dios es el que no me perdona"*.

* ***Culpa sana***

Es la que nos humaniza, supone la superación del narcisismo craso, grueso, bruto. Es el **arrepentimiento**. Está vinculada a lo malo objetivo (concreto, real) que se hizo. Se fija en el mal que se hizo a los otros y se quiere reparar: de aquí se saca la experiencia redentora cristiana.

La culpa sana hace ser y sentirse responsable de hechos que se han realizado; por eso, este tipo de culpa humaniza. Se va aprendiendo que se hacen cosas que son objetivamente malas porque dañaron a otro y surge el deseo de reparación.

La característica es que no está fijada en sí misma sino que está fijada en el mal que se ha hecho, es sensible. La culpa sana no es tanto por qué me hirieron sino por qué hiero... no es de haber herido sino de herir. La culpa sana nace de la responsabilidad.

Las palabras y expresiones típicas de este tipo de culpa son: *"¿qué hice? ¿qué puedo hacer para remediarlo?"*.

Las tres preguntas de Ignacio nos ilustran esto: *"¿qué he hecho, qué hago, qué puedo hacer por Cristo" (EE 53).* Por esto en los ejercicios hay que advertir que la consideración de los pecados propios no es para remorderse sino para arrepentirse; no se puede caer en la trampa de la culpa malsana.

Lo que dice si es o no culpa es la conciencia, un proceso serio de crecimiento y conocimiento implica un proceso de conciencia bien formada: una voz que me lleva al crecimiento, al manantial; una voz que se ajusta al manantial.

* ***Gramática del autoperdón***[111]

  Mientras se diga, se sienta y se piense así: *"yo **sé** que he hecho esto mal..."*, se sigue en la culpa malsana. Sólo cuando se pasa al ***"yo TE digo** que he hecho esto mal..."*, se rompe el círculo.

  En la gramática del perdón media la confesión, esa es la manera de romper el círculo fatídico. Pero esto exige aceptar el misterio de la realidad humana, la gran sombra de la contradicción: *no hago el bien que quiero y hago el mal que no quiero hacer (cf. Rom 7,15).* Por esto, no hay liberación de la culpa hasta que no se tiene la experiencia de sentirse amado incondicionalmente por una persona y/o por Dios.

* ***Indicador de la culpa sana***

  *Ser capaz de asumir sin disimular...*
  *de comprender sin justificar...*
  *de aceptar sin condescender,*
  *mis pecados, mis errores...*

Es este equilibrio el que muestra que hay salud mental: *"saber que eres una gota de agua sucia pero puedes reflejar la luna. Mientras te creas gota de agua transparente te engañas. Pero si te desesperas por ser una gota sucia, desperdicias el que puedas reflejar la luna"*[112].

* ***La culpa sexual***

  Además de la culpa original –la que surge de sentirse responsable de haber sido herido cuando se era niño– hay otro tipo de culpa que, aunque está muy vinculada a ella, tiene su propia identidad: *la culpa sexual.* ¿Por qué surge esta culpa? En primer lugar, porque lo sexual tiene un carácter totalizador, abarcante... tiene cosas de seducción. También, lo que tiene que ver con la sexualidad, por ser tan totalizador, se siente que se toca a Dios o sé atenta contra Él, porque toca la vida. Por eso la sexualidad en las religiones, siempre tiene los máximos tabúes o la gran vinculación religiosa. Meterse con la sexualidad es como "usurpar algo". La sexualidad me hace sentir que estoy en campo de alguien porque no entiendo, porque se despiertan cosas que no sé... y entonces, se tiende a relacionar rápidamente con Dios. Esto es lo que la hace tan proclive a los grandes tabúes o a ser canal de lo divino en la religión.

  Un segundo elemento por el cual surge la culpa sexual, es por el contrario Edípico de las relaciones. Los amores y necesidades no satisfe-

111. Cfr. MASIÁ, Juan, "Aprender a perdonarse a sí mismo y dejarse perdonar", en ALEMANY, Carlos, *14 aprendizajes vitales*, Desclée De Brouwer (Serendipity Maior), Bilbao, 1998.
112. De la tradición budista. Citado por MASIA, Juan, op. cit.

chas siempre están matizadas por la relación mamá / papá-hijo. Con los padres siempre hay sensaciones sexuales-genitales que él niño percibe impropias o inadecuadas. Impropias porque no es adulto e inadecuadas porque es su papá o su mamá. Por esto, en esa relación edípica hay una gran fuente de posible culpabilización sexual.

Y un tercer y último elemento causal de la culpa sexual, es la transmisión de tabúes socioculturales y religiosos que constantemente alimentan esta campo.

## EL POZO Y EL MANANTIAL

Para hablar de nuestro potencial interior, podemos ayudarnos de las figuras del pozo y el manantial, o de la de un árbol.

Cuando hablamos del *pozo*, usamos esta metáfora para referirnos al conjunto de nuestras cualidades. Pero lo impactante de esta metáfora gráfica, es ***el manantial*** de donde brota toda el agua.

Para describir estas cualidades y sobre todo, para ponderarlas, no sirve también utilizar la comparación de un árbol. Esta imagen nos ofrece los tres tipos de cualidades que conforman nuestro potencial: evidencias, certezas y

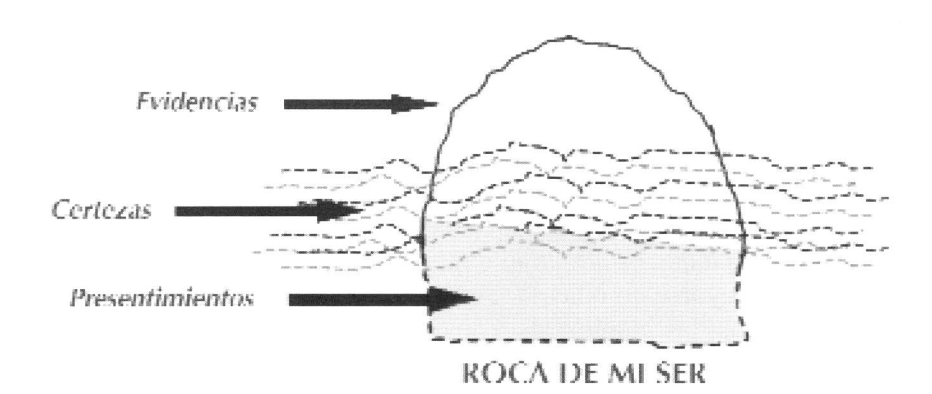


presentimientos.

* ***Evidencias*** : *son las raíces; si no hay raíces, si se corrompe la raíz, el árbol se cae*. Son aquellas cualidades que nunca desaparecen sino que hacen salir adelante en los peores momentos.

A veces, lo evidente no se percibe pues se vuelve tan explícito que ni se mira: es como la luz, se percibe cuando se ve la oscuridad. A veces las evidencias son tan cercanas que ni se ven, como pasa con las raíces...
Las evidencias personales se encuentran analizando el ejercicio de las pruebas, el de la cualidad que no fue dicha, el de lo que se hace con connaturalidad y el de mis deseos y aspiraciones profundas[113].
En la metáfora del pozo, las evidencias son el manantial: es de allí que brota todo, ellas salvan en los momentos difíciles... El manantial suele ser sutil, pequeño... por eso, esas cualidades son entre una y tres, no hay que buscar muchas más.

* ***Certezas:*** *es el tronco y las ramas.* Es la parte que casi siempre se ve, pero a veces, puede cortarse o caerse.
  Son cualidades que casi siempre están en ejercicio, pero a veces se oscurecen. Aquellas cualidades que dejan de notarse en los momentos difíciles. Por eso no es posible apoyarse en ellas, porque se puede romper, se puede quebrar una rama.
  Las certezas se obtienen, de las cualidades de las que se está seguro, de las que se experimentan, de las que se sienten. Todas las cualidades que se sienten son certezas.

* ***Presentimientos:*** *son las hojas –sobre todo en los árboles que no tienen follaje duradero– es lo que pasa a los árboles en países de fuertes inviernos: el invierno deja a la desnudez la verdad de los árboles, se cae todo lo que no aguanta y se mantiene sólo la raíz y las ramas.* Son las cualidades en semilla, esas que sólo se saben o que me han dicho que están en mí. Las ven los otros pero pocas veces se le tiene en cuenta.
  Son esas cualidades que se dice tener pero que no se sienten todavía en sí mismo. *Lo que me dicen, lo que sé pero no siento.* Por eso, tampoco es posible apoyarse en ellas.

Organizando así las cualidades, construyo el camino de mi crecimiento[114]: todo él tendrá que estar basado en el manantial, en las evidencias.

El manantial cuando se expande, brota en la conciencia. Dentro de ese manantial está la experiencia de Dios que es el *Agua viva*.

---

113. Ejercicios nº 12, 13, 14, y 15 del capitulo tercero.
114. El camino del crecimiento se construye con el esquema de ejercicios de interpelalción, las herramientas terapéuticas (especialmente el *¿Qué me habita?* y el *focusing*) y por personas que tienen sobre mí el efecto Pigmalión.

## LA VOZ DE LA CONCIENCIA

La conciencia[115] es la voz del propio ser –siempre en crecimiento– que se expresa. Es lo más profundo de cada uno que toma la forma de una palabra de indicación. Es lo típico del ser humano. La persona tiene siempre esa voz en lo más profundo suyo. Es esa la voz que le va indicando cuándo algo de lo que realiza se acerca o no a su verdadera felicidad. La conciencia es el gran patrón para discernir.

Es mi manantial hecho voz que me dice lo que debo *hacer* y me dice lo que debo *ser*. Se forma de las voces que produce mi manantial. Es la voz de mi manantial que crece, que se expande. From (1983) la llama *conciencia humanista*: la voz de nuestro amoroso cuidado por nosotros mismos[116].

Se forma de las voces que produce el manantial, y estas fundamentalmente son: *eres uno, verdadero y bueno*. La conciencia me revela de alguna manera que *soy uno* porque estoy integrado, porque soy armonioso; también de alguna manera me dice que hay verdad en mí; y la otra voz es la de decirme que soy bueno, que soy amable, es decir, que soy digno de amor. Y si tengo esas tres realidades, entonces hay belleza en mí. Entonces mi ser también dice *eres bello porque en ti hay armonía, verdad y bondad*.

La voz de la conciencia me hace consciente de ser bello, de ser precioso. La voz de la conciencia me da identidad, me abre a mí mismo, me identifica. Ahora bien, no hay identidad sin contraste, soy yo frente a alguien: frente a los demás y frente a Dios. Esto significa que en la conciencia está siempre la relación con los demás porque lo que me constituye como bello, como amable, como armonioso es para mí y es para otros. La conciencia entonces, me ayuda a distinguir lo que me hace bien de lo que me hace mal. Lo que me hace bien

115. Cfr. CABARRÚS, Carlos R., *La mesa del banquete del Reino, criterio fundamental de discernimiento*, Desclée De Brouwer (Caminos), Bilbao, 1998.

116. FROM, Erick, *Ética y psicoanálisis*, 1983, p. 174.

es lo que me armoniza, lo que me hace uno, lo que me da firmeza en mi verdad, lo que me hace ser amable, lo que hace que crezca mi manantial... *La conciencia está y debe estar donde reconocemos nuestro parentesco con todos los demás seres*[117].

Lo que me hace bien es descubrir el Agua Viva... Captar la gran profundidad de la metáfora: ¡que soy agua, que soy pozo! Y el agua nutre y limpia a todos, es bien de la creación para todos. Si soy agua y pozo, soy agua y pozo para sedientos, para sucios, para los que necesitan limpieza y curación. Es decir, mi metáfora de agua es vital para los demás, pues no me puedo contemplar a mí mismo ajeno a los demás... soy para servir y servir en lo más esencial, soy para dar lo más vital... La conciencia me abre a la perspectiva del servicio pero no como un voluntarismo sino como algo que nace de lo más profundo, de lo que soy como vitalidad para los demás. Por tanto, la metáfora del agua resalta mi valía personal para los otros porque resalta mi ser para otros.

En síntesis, mi conciencia me hace decir eso es *bueno*, si me hace crecer, y mi conciencia también me hace tomar conciencia de que soy "vital" para otros, sobre todos para los más necesitados.

Esta voz de la conciencia, que brota del manantial, necesita de otros aspectos para nutrirse y poder actuar: necesita de los valores para poder *formarse*, y de los datos científicos, con conocimiento de situaciones y relaciones, para *informarse*. Esto significa que la conciencia no es estática sino dinámica, no se adquiere de una vez para siempre, sino que se va formando e informando para llegar a ser una *conciencia lúcida*.

Los valores que forman la conciencia son cosas positivas, elementos que tienen bondad y que son reconocidos como tales, primero por una colectividad o un grupo, y en segundo lugar por la propia persona. Esto hace que los valores, de cierta manera estén matizados por las diferencias culturales.

Sin embargo, hay unos valores fundamentales, por ser *universales*, los valores afirmados en La Carta de los Derechos Humanos de la Humanidad: *el derecho a la vida, a la igualdad del hombre y la mujer, a la educación, a la salud, al trabajo...* Las tradiciones religioso-morales de la humanidad encierran también, fuentes de algunos valores universales, en los que todas van coincidiendo. Las posturas morales respecto de los pobres y desahuciados son criterio de calidad en estas tradiciones religiosas.

---

117. RADFORD, Rosmary, *Gisa y Dios: una teología ecofeminista para la recuperación de la tierra*, DEMAC, México, 1993, p. 256-257, citado por GEBARA, Ivone, *Intuiciones ecofeministas*, Doble clic, Montevideo, 1998, p. 88.

Actuar como ser humano implica oír la voz de la propia conciencia, que invita a ser cada vez más auténtico, con respecto a unos valores que hacen tomar en cuenta, cada vez más, la vida de los demás y la vida del planeta con responsabilidad.

Es importante distinguir la *voz de la conciencia* de las voces negativas (por ejemplo, las que causan la baja estima) y las voces compulsivas. La voz de la conciencia reconoce el valor propio, sabe actuar creativamente, orienta de una manera sana la culpa hacia la responsabilidad, y lleva a la integración y crecimiento continuo de la persona, porque es una voz que brota del *manantial* y da de beber el *agua viva* que nace de él.

## LOS SUEÑOS

Los sueños[118] son una manifestación del inconsciente, es decir, son una de las maneras por las cuales puede salir al exterior la herida, la parte vulnerada (inconsciente negativo), las sombras (inconsciente positivo), o algo del pozo. Es importante trabajarlos, porque sus contenidos, aunque sean en un lenguaje simbólico, tienen un gran mensaje para el crecimiento personal.

Los símbolos oníricos son imágenes, acciones, sonidos, voces, colores... Para "leerlos" es necesario aprender ese lenguaje, que es diferente al propio lenguaje, al que empleamos usualmente en estado de vigilia.

El trabajo con los sueños puede ser una rutina personal que no presenta demasiada dificultad en su aprendizaje: es aprender un lenguaje y un lenguaje que por fuerza es cuestionante y enriquecedor.

¿Por qué hablar de orar los sueños? Porque no se puede hablar de conversión sin modificación también, del inconsciente. Si los sueños son una manifestación del inconsciente, éste hay que modificarlo con la acción de Dios[119]. La alteración del inconsciente es parte crucial de la verdadera conversión, que es la formulación teológica del crecimiento personal.

### Afirmaciones básicas acerca de los sueños

**1. Siempre se sueña**

Siempre se sueña... aunque no se recuerde. Y siempre los sueños sirven para algo. Sin embargo, por los prejuicios, por su desvalorización a causa de las falsas ideas, y por la creencia de que son premoniciones, muchas veces se

118. Cfr. CABARRÚS, Carlos R., *Orar tu propio sueño*, 2ª ed., Universidad Pontificia Comillas, Madrid, 1996.
119. Recordemos cuántas veces Dios habla en la Biblia a través de sueños: a José (en el Antiguo Testamento), a San José (en el Nuevo Testamento), a Jacob, a los patriarcas, etc.

teme trabajar en ellos, y también muchas veces se induce el bloqueo para que no sean recordados.

En la noche, en total, hay aproximadamente dos horas de REM (Rapid Eye Movement –movimiento rápido de los ojos–), es decir, de momentos en los cuales, a pesar de estar dormidos, se presenta un gran movimiento del globo ocular: aquí se registran los sueños con más densidad psíquica y más densidad emocional.

Acercarse a los sueños, recordarlos para poderlos trabajar implica:

* Cambiar la intelección personal ante los sueños: darles su lugar. Si siempre se han tenido como ridículos, como cosas sin importancia, no es raro que no vengan al recuerdo.
* Programarse para recordarlos.
* Dormir teniendo cerca papel para que tan pronto se despierte, se escriban las cuatro o cinco palabras que ayudaran a recordarlo. Mejor aún si se escribe el sueño así tal cual, pues cuanto más primitivo se recupere, más posibilidades hay de que sea sin interferencia del consciente.
* Otro medio es tener una grabadora y… grabar tan pronto como se despierte. Hablar garantiza que el material esté más primitivo, pues no se ha dado oportunidad al consciente de organizarlo para "no quedar mal" o para que no se salga del control.
  La grabación permite también descifrar lo simbólico de los sonidos y las palabras: que se escuche jadeante el relato, o que se empleen palabras en otro idioma, o frases que se usaban de pequeño…
* Quedarse quieto, como se está en el momento de despertar, intentando recordar algo. Luego, darse la vuelta para el lado contrario y ¡caen como en cascada los recuerdos!
* Escribir el sueño… es la única manera de no olvidarlo, y la mejor para trabajarlo sin elaborarlo con el consciente.
* Otro método es despertarse durante la noche, o en los momentos en los que se presenta el REM. Tomar más agua al momento de acostarse hace que se tenga necesidad de levantarse al baño y se despierte en medio de la noche; colocar un reloj, pedir a alguien que nos despierte…

## 2. Los sueños son portadores de comunicación y siempre tienen un mensaje

Miremos lo que han dicho algunos científicos de la psicología con respecto a los sueños:

* Según Freud (psicoanálisis), son la carretera al inconsciente. Reflejan lo que se ahoga en la vida despierta. Comunican lo escondido y reprimido, pero principalmente en el ámbito de la sexualidad. Son el camino para llegar a lo que está reprimido sexualmente.
* Adler dice que lo que se reprime es lo que no se puede hacer en la vida de vigilia, no sólo en lo sexual. Es decir, los sueños comunican lo enmascarado, la "voluntad de poder". Lo que se hace en los sueños es, entonces, lo que no se puede hacer en la vida de vigilia.
  Son lugar de compensación: sale la voluntad de poder enmascarada. Se hacen las grandes hazañas que no se hacen en la vida diaria: *me siento un molusco y en el sueño aparezco como un rey.*
* Perls (*Gestalt*) retoma lo anterior y dice: no es tanto el camino al inconsciente reprimido, sino que manifiestan lo desintegrada que está la persona. Los sueños son, por tanto, camino de integración de lo desintegrado.
* Jung enfoca todo desde lo simbólico: los sueños ayudan al proceso de la individuación, llevan a un nivel cada vez más profundo y llevan al inconsciente colectivo. Los sueños muestran la etapa que se está viviendo dentro del proceso humano.
* Reich, con la herencia que ha dejado en el enfoque bionergénito hará énfasis en la postura reprimida que brota en el sueño y en la liberada. Esto, más que un "mensaje racional", sería al aporte de un sueño.

Los sueños siempre dan un camino de superación de lo reprimido, de lo negado, de lo disperso, o señalan el momento que se vive en el proceso de individuación…

**3. Los sueños me revelan el proceso en dónde estoy**

Así como se dice "dime con quién andas y te diré quién eres", se puede decir *"dime qué sueñas y te diré dónde estás".*

Para Jung –escuela en la que más nos apoyamos para esta temática– el inconsciente no es sólo la parte negativa, sino un potencial que todavía no se maneja, y que se va revelando por medio de la sincronicidad y de los sueños. Esto significa que los sueños son desafíos, son retos, con una gran relación entre ellos, y a la vez, relacionados con la sincronicidad y lo que se vive en el momento. Son un reto para crecer, muchas veces marcan la ruta exacta del crecimiento.

Los sueños son reflejos de los distintos pasos de la individuación: integración de la sombra, integración de lo femenino y lo masculino, descubrimiento del yo más profundo, encuentro con la sabiduría, y encuentro con lo trascendente.

Un sueño si tiene sabor positivo lleva al manantial, si el sabor es negativo, es un factor de desafío, pero en ambos casos, llevan al crecimiento y a la integración.

### 4. Los sueños son símbolos de dos dimensiones con muchos estratos

Los sueños contienen *símbolos* no *signos*. Los signos tienen sólo una interpretación, los símbolos muchas. Esto permite que sean interpretados en diferentes momentos.

Estos símbolos pertenecen a la propia persona, por eso, sólo el soñador entiende su sueño. *Nadie puede interpretar mis sueños, pues lo simbólico sólo lo descifro yo mismo desde la resonancia corpórea.*

Los símbolos oníricos tienen una dimensión personal (los interpreta quien los sueña), y una dimensión colectiva (se puede trabajar con los sueños de otro); esto último hace que se puedan volver "mitos" colectivos.

Aunque son tan personales, hay cosas en las que funciona el inconsciente colectivo: en un grupo religioso, por ejemplo, el celibato es un símbolo común. Es decir, los símbolos pertenecen también a colectividades. Hay una simbología universal que Jung denomina arquetipo, pero que también hay que interpretarla en cada situación concreta: no es lo mismo el arquetipo *madre* en una cultura que en otra.

Cada sueño tiene múltiples estratos (como los estratos geológicos, múltiples capas como una cebolla): pueden hablar de integración de sombras, de búsqueda del manantial, de... Los sueños invitan a que se baje cada vez más en su interpretación. No se pueden quedar sólo con el primer nivel de interpretación por cierto que sea este.

### 5. Los símbolos oníricos son la sensación más fuerte para trabajar

Los símbolos oníricos son contundentes en lo que revelan, porque su contenido no esta protegido por los mecanismos de defensa, y porque tienen imágenes, sonidos, movimientos, posturas físicas, y otros símbolos que pueden ayudar a reinterpretar el sueño ya que, al interrelacionarse, adquieren fuerza y significación.

Por esto, los sueños, mientras más ilógicos, más puros están, pues están cargados de una simbología que, al interpretarse, es reveladora y enriquecedora del proceso.

La interpretación de un sueño, es una gran manera de hacer un focusing; es una manera muy auténtica de trabajar la sensación ya que no hay que intentar localizarla, visualizarla, sino que ahí está. La interpretación del símbolo que vale es la que repercute en el cuerpo, no la más lúcida. Abriendo cada símbolo se entra más y más.

Si los sueños son una sensación, para saber si se están trabajando bien hay que revisarlos con los mismos criterios de evaluación con los que se constatan los ejercicios de interpelación: que haya repercusión corpórea y que se pueda hacer un ***NER***. Todo trabajo con los sueños debe generar un ***NER***, y presentar una invitación a modificar algo en la propia conducta, o a integrar o sanar algo de las propias heridas.

Es posible incubar los sueños y, así, hacer que éstos vayan facilitando el proceso del crecimiento personal.

### 6. Los sueños pueden revelar la consigna psicológica

Los sueños pueden señalar lo que la propia estructura de personalidad dice: *por aquí vives, por aquí mueres*. Es decir, revelan la consigna psicológica: los caminos de integración, de sanidad, de curación, de superación y de crecimiento que la propia estructura propone. Es lo que el Eneagrama[120] llama camino de integración o desintegración. No sólo dan un mensaje sino que ofrecen un camino.

La consigna psicológica no se puede sacar de un sueño, sino del análisis de muchos sueños, de un seguimiento pormenorizado de ellos.

Hay una regla importante: ***"Todo el sueño es el soñador"***, mientras no se diga lo contrario. Todo lo que aparece en el sueño es lo que se vivió en el desdoblamiento de sí mismo. Especificando más: cuando hay personajes desconocidos o anímicos, son claro desdoblamiento del soñador (aspecto subjetal del sueño). Cuando las personas son conocidas o cercanas, el énfasis está más en las relaciones que establece el soñador (imágenes objetales).

La *Gestalt* propone como metodología la dramatización de los sueños: que el soñador represente los diferentes papeles, pues para ella, todas las partes del sueño, todos sus elementos, son desdoblamientos del propio soñador.

Tienen un doble carácter: *compensatorio y anticipatorio (no premonitorio)*. En ese sentido, los sueños dan mensajes que generan conflictos e interpelan los procesos personales. No es lo mismo tener sueños que pesadillas.

Los sueños son un regalo del inconsciente al consciente. Son un don que hay que desentrañar. Por eso se debe estar vigilante sobre qué actitud consciente está compensando el sueño reciente, es decir, qué cosa que se desea hacer y no se hace en el estado de vigilia, se está realizando por medio de los sueños.

También hay que estar atentos a su **función anticipadora**: nos puede mostrar un camino que se invita a seguir, orienta en los períodos más decisivos de

---

120. Véase complementación teórica: *El eneagrama*, p. 126.

la vida. Con su función anticipadora dicen lo que puede pasar en ese sentido concreto.

Es necesario no perder de vista las posturas corporales que estos revelan. Los sueños comunican no sólo mensajes, sino posturas corporales alienadas, como también liberantes.

### 7. Otras significaciones del sueño

Lo contrario, es decir, **el sueño *no* es el soñador** cuando:

* En estado de vigilia se tienen dotes parapsicológicas y habilidades telepáticas, es posible que también se tengan en los sueños y que por medio de ellos se puedan prever situaciones.
  Para llegar a esta conclusión, hay que demostrarse esas habilidades parapsicólogicas, porque si no, se llega a la *"crónica de una muerte anunciada"*, pero no porque el sueño fuera premonitorio, sino porque se predispuso a la otra persona o a sí mismo.
* Cuando en el sueño o por medio del sueño se experimentan cosas de Dios, se experimenta que Dios interviene para comunicarse… entonces, ¡hay que discernirlo!
  ¿Cómo saber que algo en un sueño viene de Dios? Al aplicársele las reglas de discernimiento[121].
  Los grandes criterios que están en la Biblia sobre los sueños son:
  - Lo que se dice no es central sino marginal: lo que se sueña no es la revelación definitiva, sino parte de ella, anuncio.
  - Siempre van en la lógica de la economía de la salvación, de la alianza.
  - Revelan el *modo* de vivir lo que ya se debe saber: *"no temas José"*.

### *Maneras de hacer oración con los sueños*

* Hacer el trabajo de interpretación delante de Dios, es decir, tener a Dios como acompañante en esta investigación, hablarlo con Él, atender lo que Él dice. Es el Espíritu quien escudriña los corazones. Es el Espíritu *"… quien intercede por nosotros con gemidos que no se pueden explicar"* (Rom 8,26), *"… pues el Espíritu lo examina todo, hasta las cosas más profundas de Dios"* (1 Cor 2,10).

121. La regla básica de discernimiento es *¿qué experimento? ¿a dónde me lleva?* Es de Dios si me lleva a su Reino, a los cuatro pedestales de la mesa de este Banquete, y a las imágenes del Dios de Jesús. Cfr. CABARRÚS, Carlos Rafael, *La mesa del banquete del Reino. Criterio fundamental de discernimiento*, Desclée De Brouwer (Caminos), 1998.

* Al sentir que Dios dice algo por medio del sueño: convertir el mensaje del sueño en un "*mandala*" (visualización de un mensaje), en una frase, en un "*mantra*" (palabra o grupo de palabras o sonidos que producen un cierto efecto al repetirlas varias veces mental u oralmente), en una jaculatoria, para que Él ayude a trabajarlo. Es decir, orar en estado de vigilia lo que Dios de una manera muy activa de su parte –y muy pasiva de la nuestra– ha comunicado. Desentrañar con Él y frente a Él lo que sugiere, el *modo* como indica realizar lo que previamente se ha conocido.
* Incubar los sueños. Esto es posible dentro de un proceso compactado de oración y trabajo personal (lo que pasa en los ejercicios espirituales). La dinámica de los ejercicios espirituales, como la propone San Ignacio, hace que se incuben sueños: durante el día se trabaja con la meditación (parte racional), o con la contemplación (parte afectiva) y finalmente con la *aplicación de sentidos* (parte sensible); después de todo el día de trabajo en esto, se pide preparar lo que se orará al día siguiente. Este acto hace, casi mecánicamente, "incubar" sueños sobre las gracias previamente recibidas en la oración de la jornada anterior. Estos sueños incubados son como una "carga de profundidad" que puede alterar el inconsciente introduciendo modificaciones en él, impregnándose propiamente éste del "modo de Jesús" a quien se viene contemplando con mucho cuidado y precisión.

Presentamos a continuación un ejemplo práctico del análisis de un sueño. En él se puede ver cómo no se emplean todas las llaves, sino aquellas que se van necesitando para ir desentrañando el mensaje del sueño, siguiendo la sensación corpórea.

### 1. Transcripción

*"Veníamos como en una excursión. Yo iba adelante de una fila de turistas que visitaba alguna cosa en la naturaleza. De pronto, a mi izquierda, vi como una construcción enorme, como una represa de agua. Era algo que caía casi en perpendicular, en piedra gris, a partir de un pequeño sendero – como puente– por donde yo venía caminando.*

*Al comienzo sólo vi la construcción enorme sin sentir nada. Esa perpendicular caía en algo como un recipiente que era en forma de paralelepípedo. Del otro lado subía, con el mismo ángulo, otra pendiente también en color gris, como de piedra. Eso era para que el agua se almacenase y se fuera por ese gran agujero en forma de paralelepípedo.*

*De pronto sentí miedo. Para que uno no se cayera había como una especie de borde de ladrillo. Si uno se agarraba allí estaba seguro.*

*También a mi lado derecho, que había como un borde alto, casi de mi altura, había otro pequeño borde donde también uno se podía agarrar. A mí me dio pavor. Yo no quería caminar. No quería volver a ver el abismo porque me daba mucho miedo. Casi me freno. Casi quise abandonar la marcha. Pero de pronto me di cuenta que estaba deteniendo el paso de los que venían atrás. Y eso –quizás el que me hiciesen burla– me hizo caminar un poco más rápido.*

*Cuando salí de ese puente ni me di vuelta para ver. Pero entonces vi que esperé un momento y sólo después de un rato me pasaron una pareja de muchachas de tipo sajón. Me di cuenta que no había obstaculizado a nadie y que nadie se había detenido por miedo.*

*Luego a mi derecha, había un sendero y al final vi como un gran templo. Subí las gradas y allí había algo como una fiesta. No entré. Me quedé en el atrio. Eso estaba fincado, en el alto sí, pero como sobre un monte y seguro".*

## 2. Clasificación

- *Nombre*: La Represa.
- *Fecha*: 5 de Junio de 1990. En Ejercicios Espirituales, finalizando el Principio y Fundamento[122].
  Inquieto por no lograr ver por dónde iba mí caminar.
- *Argumento*: Voy en un camino en donde hay que atravesar un puente sobre una represa. Me da miedo. Me freno. Luego avanzo por temor al que dirán. Me doy cuenta de que no era para tanto el miedo. Veo sobre la cima donde hay fiesta. Me quedo en el atrio y no entro.
- *Las sensaciones*: En un primer momento vértigo, miedo, mucho miedo. Luego sorpresa al ver que pese al pavor atravieso el puente. Luego como resentimiento al ver la fiesta de la que no gozo.
- *La relación con lo de Dios*: Por el hecho del templo, se me hace evidente que tiene que ver con lo de Dios. Se me hace muy típico que "no quiero entrar en el templo"... aunque todavía no entiendo bien el por qué.

## 3. Aplicación de la metodología al sueño presentado: análisis según el esquema de Gendlin

### 3.1. *Primer nivel*

- ¿Qué me sugiere el sueño?

Lo primero, el camino, me sugiere mi vida: los obstáculos por donde he tenido que pasar. La represa me da miedo y me sugiere lo que se "reprime". En

122. Primera parte de los Ejercicios Espirituales de San Ignacio.

el fondo, me evoca todo lo que me da miedo pero me atrae, todo lo que he tenido de alguna manera que reprimir en mi vida. Lo que se me evoca. *Sí, la "represa" es mi represión. Todo lo que he tenido que reprimir y sofocar en mi vida*[123].

* ¿Qué siento?

Curiosidad por desentrañarlo. Siento que hay un mensaje para mí. Lo que más siento es como percatarme de que sufro más de la cuenta ante lo que creo que me va a costar mucho. *Si, sufro más de la cuenta, ¡qué molesto tener que ser así tan ansioso! Luego también siento como frustración porque hay fiesta y yo no entro. Más que frustración es como resentimiento. No quiero entrar.*

* ¿Qué pasó ayer?

Ayer estaba en Ejercicios y no encontraba por dónde era mi Principio y Fundamento, por dónde iba en mi vida. Creo que tiene bastante que ver con todo esto. *Siento como clarificación. Comienzo a ver.*

* Los elementos del sueño

La represa, que quizás es lo que más impresiona, el camino, el agua. También la altura, la cima, el templo. Personificaciones: estoy yo, y también mis amigos –que no aparecen–. Luego las muchachas sajonas.

* El argumento

Voy como en un camino y de pronto estoy en la represa en donde hay un camino que tengo que atravesar. Me da miedo. No quiero avanzar. Finalmente avanzo por el qué dirán, fundamentalmente. *Luego me percato de que no fue tan difícil*. Después está un templo en donde hay fiesta pero, aunque me gusta, no entro.

* Destacar personajes

En primer lugar estoy yo. Yo que voy en camino. Ir de camino significa para mí, la vida. *Luego mis amigos que vienen detrás de mí pero no están. Tengo la sensación de que se separan de mí a la mitad del camino. Es también señal de que me abandonan de algún modo*. Están también las muchachas sajonas que van en pareja y que no se percatan de nada de lo que me pasa...

* ¿Qué parte de mi cuerpo se refleja?

Mi cuerpo se refleja en que es del lado izquierdo –mi parte femenina– por donde siento el vacío. *Es mi parte más sensible que me hace sufrir y tener vértigo.* Por lo contrario es en la parte derecha donde encuentro que hay como un

123. Lo que va en letra cursiva indica dónde se dio un "movimiento corporal" un body shift, que es por donde se debería seguir trabajando. Si esto se estuviese haciendo en un trabajo acompañado, el que dirige debiera tener estos movimientos como lo más significativo. En este esquema sólo se indica la resonancia y no todo el trabajo que podría haberse realizado. Como puede notarse hay muchos aspectos que tienen repercusión corpórea...

borde que sostiene, aunque también es como peligroso. En mi parte derecha –mi parte masculina– es también difícil pero me hace pasar la cima, en donde está la iglesia, es lo que me da seguridad. Allí está mi cabeza, allí también puedo encontrar a Dios pero aunque hay fiesta no me llama la atención. No quiero entrar. Estoy muchas veces como emberrinchado, como resentido.

* ¿Cómo sería yo "eso"?

¿Cómo la represa es parte mía? Creo que tal y como he vivido mi vida, mi afectividad –que es el agua caudal de vida– me ha traído muchas complicaciones. Ha habido también allí mucha represión. *La represa me refleja la parte reprimida de mí mismo*. En general es mi sensibilidad. La parte derecha –que está débil– es quizás como mi voluntad. Me agarro a ella. Yo hago lo que me propongo; si, eso si es verdad. Lo que pasa es que a veces no quiero hacer las cosas. Está de parte de mi voluntad. Yo no quiero agarrar la seguridad de mi seguridad.

* ¿Qué serían en mi esas dos muchachas sajonas?

No lo sé. Lo que sí me queda claro es que no me gustan las sajonas por lo blancuzcas que son. No me atraen. ¿Qué es lo mío que menos me atrae? ¿Mis piernas blancuzcas? ¿Cómo sería yo un par de muchachas sajonas? Ellas van haciendo su marcha como sin problemas, no teniendo ninguno de los miedos que yo tuve. Son como atléticas. Las veo como en shorts y zapatos para caminar ¿Cómo sería yo ese par de muchachas? No lo se... ¿Será que mis piernas, pese a que no las tomo en cuenta sí me sirven y caminas sin dificultad? Quizás hay algo allí...

* ¿Cómo podría continuar el sueño?

Me gustaría que terminase en que yo entraba en el templo, que está bien fincado y allí siento la alegría y la fiesta. Me gustaría entrar y gozarme en la alegría de esa fiesta en el templo. Quedar alegre y seguro. *Me encantaría que el Señor saliera y me invitase a mí personalmente*.

* Los símbolos del sueño.

El ir de excursión supone para mí exponerse un poco y encontrarse con cosas que uno no sabe. Los turistas: no me dicen nada. La represa: ya la he trabajado.

- El agua: es símbolo de vida, es símbolo del amor que aunque me gusta, me ha frustrado en mi vida. Está reprimida esa agua... ¡Más que una represa era como un embudo!, sí es un embudo. Por allí se iba el agua...
- Luego está el "*borde de ladrillo*" de donde me puedo agarrar. ¿Qué simboliza esto? No lo sé.

– El templo: significa para mi Dios, pero una imagen como desagradable de Dios. Como estática, como vieja. Me vienen a la memoria las imágenes de la iglesia de La Recolección. Siento como rechazo y miedo a toda esa imagen. Allí me parecía como aburrido todo. Como si lo de Dios tiene siempre que ser aburrido y castrante.
– Pero había también "*fiesta*". ¿Qué es la fiesta para mí? Es encuentro, fundamentalmente. Es baile, principalmente. Lo que más me gusta. Cuando hay baile como que se me junta la alegría y me entra como un emborrachamiento. Salen cosas mías que de ordinario no brotan: el ritmo, como la seguridad de que puedo atraer la destreza.

* La analogía corporal

La parte izquierda, mi parte más femenina. La derecha *mi parte más masculina donde verdaderamente me agarro para pasar*. El templo en la cima, es la cabeza, la parte más racional. Lo izquierdo es mi sensibilidad, la derecha, la voluntad, el templo es la cabeza, es decir, la parte más racional. *¡No, el templo, es el nido de mi corazón!*

* Lo contrafactual

Quizás lo que más difiere a mi modo de actuar es que atraviese la represa y pase por ese como puente que me suele dar horror. Yo de ordinario me regresaría. Ya lo he hecho y varias veces... Por tanto, en el sueño hay algo contrafactual muy fuerte: que *pasé algo que nunca atravieso en la vida de vigilia*. Otro elemento contrafactual es que yo no haya entrado a la fiesta. Más bien la buscaría... Pero aquí la fiesta está en el templo que para mí es signo de aburrimiento. *Tengo que pasar ese umbral de aburrimiento para encontrar la fiesta*.

* ¿Qué se refleja de mi niñez?

El puente en alto refleja el gran trauma que tengo desde mi niñez. Me traumé por la experiencia de un puente en medio de una fuerte crecida de río. Ese puente lo atravesé acompañado por una sirvienta. Este, en cambio, lo atravieso solo...

* ¿Qué refleja de mi crecimiento personal?

Que puedo vencer los obstáculos. Que me freno ante la relación con Dios por no superar el umbral de acartonamiento, de "templo" que está frente a mí. *De alguna manera me he sentido postergado por Dios*.

El sueño tiene como tres momentos: la escena de la represa (quizás mi juventud), la escena del paso del puente (las situaciones difíciles por las que me ha tocado vivir), la imagen del templo que es a lo que se me está invitando ahora y todavía está inconcluso...

* ¿Qué relación con mi vida sexual?

Creo que está en la represa. Amor y sexualidad me atraen, pero también les temo, en alguna manera. Como que esa "agua" se va por ese embudo y me quedo sin nada. *¡Quizás por allí viene mi rechazo y resentimiento con Dios!*

* Relación con lo de Dios.

Con lo que más encuentro relación es con mi vida espiritual. Esto pinta el momento que he vivido con Dios. Como de enfrenarme, como de bloqueo, de no querer entrar a la fiesta "porque está en un templo". Por eso me quedo en el atrio. Entonces ni gozo del agua ni gozo de la alegría del templo...

***3.2. Segundo nivel***

* Profundización y búsqueda de crecimiento.

Mi primera interpretación iría en torno a la represa. Me doy cuenta que es más clave para mí –por la resonancia corpórea– el símbolo del templo y de que no entro por allí. Entonces buscando lo opuesto a mi primera reacción, lo que hubiera tenido que hacer es haber entrado al templo para encontrar la fiesta. Esto es lo que en el fondo estaba deseando. *Sí, entrar en el templo y alegrarme allí, eso es lo que quiero, eso es lo que me da seguridad. Eso no se va por el embudo, está firme.*

¿Por qué rechazo entrar en el templo? Me da como pereza la relación con el Señor. Como que para llegar allí hay que pasar muchas pruebas y sobre todo la que me provoca más vértigo y me paraliza que es la altura, lo que me quita la seguridad. *Rechazo a Dios porque me ha quitado el agua; ¡sí, así lo siento!*

* Apertura a la invitación de la "sensación sentida".

¡Cómo me gustaría gozarme de verdad en el templo! Cómo me gustaría que saliera el Señor a invitarme a entrar diciéndome mi nombre y de una manera muy personal. Hace tiempo que necesito de su presencia explícita y de su cariño entrañable y sensible. *¿Por qué se me esconde?, ¿por qué no sale?, ¡cómo si no le importara!*

***3.3. Evaluación***

¿Cuál es la novedad de todo esto? Se dio un fuerte énfasis en ver cuánto siento de represión en mi vida. Pero quizás lo más novedoso es que sólo ocupa momentos pequeños de la gran totalidad de mi existencia. Con frecuencia veo todo como desde el camino de la represa y no desde estar por lo menos en el atrio o al otro lado del puente... Otra novedad –por el énfasis– es que puedo vencer las dificultades. Un gran descubrimiento es que me debo apoyar en mi racionalidad y mi fuerza de voluntad.

Otro punto nuevo es que muchas veces no gozo de lo de Dios porque yo mismo no quiero entrar en la fiesta. Me parezco al hermano de la parábola del

Hijo Pródigo. Me pongo como envidioso, me pongo a pensar en cómo los otros lo pasan bien y que yo estoy allí sin que se me dé nada. "Sin siquiera un corderito para comer con mis amigos"... Y no entro a la fiesta que me alegraría.

Ha habido claramente movimiento corporal. Una identificación de la represa con la represión, que ésta tiene que ver con mi sensibilidad. Que la parte derecha, tiene que ver con mi dolor y que esto me salva. Luego el templo y todo lo negativo de cierta imagen de Dios (vinculada a los ritos, el culto, lo moralizante y castrante). Por otra parte, la necesidad de la fiesta y del baile como lo contrario a lo anterior. Esto lo veo como desligado de Dios... Luego el resentimiento con Dios por haberme quitado la vida, el "agua", y por eso, no entro. De allí el deseo de que se me invitara a una fiesta. A contemplar a Dios como la fiesta como la fuente del verdadero placer.

¿A qué me siento invitado por este sueño? Primero a no ver solo la represa, sino todo el conjunto de mi excursión. A apoyarme más en mi voluntad y racionalidad. A animarme a entrar en el templo y buscar allí la alegría y la seguridad. Sobre todo me siento invitado a superar los conflictos y los obstáculos. De hecho en el sueño pude hacerlo aun por razones no tan loables; pero superé el obstáculo. Quiere decir que sí lo puede lograr como de hecho lo logro en la vida ordinaria, aunque me haya costado mucho.

Pero, sobre todo, me invita a abrirme y a gritar que quiero que me invite personalmente a entrar en su casa[124].

### 4. Exploración libre del sueño en clave de oración

Señor, ¿cuáles son mis miedos? ¿Qué es lo que me da pavor? En primer lugar la enfermedad por antonomasia. Hace un año pasé verdaderamente pavor. Justo en esta misma semana. Sólo de recordarlo hoy y de ver mis apuntes creo que se me movió el estómago. Pero ¿qué es lo que más me da miedo? Es todo lo que me habla de mí muerte. De una u otra forma me moriré. Pero me da horror pensar en ella. Asimilar todos los signos de muerte. Eso me da miedo.

Toda la construcción de la represa era para tragarse el agua y para canalizarla. Si esa agua cayera, desaparecería inmediatamente. ¿Qué es esa agua como catarata? ¿Qué es ese como canal subterráneo donde todo se desaparece? ¿Es la muerte? No se me mueva nada. No lo sé.

124. En esta invitación estaría el germen de una "consigna psicológica". Esta sólo podría definirse bien en la medida en que se siga un estudio pormenorizado de las diversas "invitaciones" que se provocan en los sueños. Tal y como aquí se vislumbra la consigna psicológica podría estar en un "confiar más en tus propias fuerzas", en un "los obstáculos son menos insuperables de lo que te imaginas", pero sobre todo, en una invitación a hacer explicíta la necesidad de la relación con Dios.

Todo eso que me atemoriza estaba en el lado izquierdo, en mi parte femenina. ¿Qué me provoca tanto miedo ahí? ¿Son mis atracciones? No lo creo. Quizás lo que tengo miedo es al vacío que tengo en el corazón. *Sí, Señor, le temo al vacío de mi corazón, me duele que la represa se haya convertido en un embudo por donde se me ha ido la vida*. A esa "represa", a eso que se traga como en un embudo el agua que de suyo es vida, a eso sí le temo. *Para mí el amor, que es vida, siempre ha sido como destructor*, siempre tiene que hacerse agujeros para que se vaya el agua y no "me haga daño". Hoy lloré por gentes que quiero y de algún modo ya no están... Hoy lloré *porque no tengo a nadie ahora en el corazón*, porque estoy solo. Porque camino a través de una gran represión de mi corazón. Se quiera o no, aunque yo me dé gustos, tengo el corazón reprimido. Lo que me da pavor es encontrarme así solo. Pero eso es mi parte izquierda. Señor estoy solo y te encuentro poco. *¡Señor te he dado mi vida y siento como si hubiese sido en vano!*

¿Pero cuál fue mi reacción en el sueño? No vi más esa parte izquierda. Me afianzaba en el borde y me agarraba de mi parte derecha y comencé a caminar pese al miedo y al pavor. ¿Qué supone aquí mi parte derecha? En concreto era mi racionalidad, mi voluntad. Seguí caminando. También la voz de los demás la sentía como en mi cabeza. ¡También el qué dirán me ha hecho caminar! Luego, como siempre, *fijarse bien, como siempre, se supera lo peor, pasa el peligro*. Cuántas veces no he pasado historias en mi vida que he creído que son las últimas y no que no podría superarlas. Muchísimas. Sin embargo, las paso. Señor si tú me has dado fuerzas personales, ¡por qué no confío en tus dones!

Luego ya estoy de nuevo en algo que es natural. Es un caminito, en pendiente, pero ya no en el riesgo del vértigo. Allí en la cima veo una construcción en forma de templo. Todo esto, lo seguro, está de mi parte derecha. Dentro se oye como algarabía. Pero tengo algo como pereza de entrar. ¿Por qué si hay fiesta en el templo, en donde está seguro, no quiero entrar? Eso me hace referencia a mi no asiduidad en la oración. Yo sé que te necesito, Señor. Sé que necesito tu cariño, pero no te busco con asiduidad... Allí dentro se me ofrece algo como fiesta y seguridad, pero me da pereza. Y es que creo que es así. No es que no haga oración, pero no le dedico los mejores ratos. Me quedo fuera de la fiesta y de lo seguro. ¿Por qué se me hace difícil la relación contigo, Jesús? En el fondo siento como una querella contra ti. *¡Tú no me quieres como yo quisiera que me quisieses, más sensiblemente, tocando más mi corazón y mis entrañas!*

Como que esto pinta bastante bien lo que me guía. Ando sólo en el mundo, en la vida. Pero traigo compañía detrás. Están mis compañeros. *Pero en la práctica no están. No sé por qué razón mis amigos se me pierden*. Y así, sólo, tengo que arrostrar situaciones difíciles. Como la del vacío de mi corazón. Pero puedo caminar con un vacío en el corazón. El sueño me lo dice. *¡Puedo dejar de ver la parte de la represa y verme pasando a pesar del vértigo que me da!* Yo lo puedo pasar. Si me agarro a mi parte derecha, que es mi racionalidad y mi voluntad, sobre todo... Luego todo pasa. La cosa se calma y aparece el templo con su música y fiesta.

Señor he pasado por muchos abismos y me da miedo. Mi enfermedad, me da miedo, mi corazón está sólo y con miedo y tristeza. *Pero no es así toda mi vida. Esto también es realidad. No siempre estoy contemplando la represa y el embudo.* Yo puedo encontrar la manera de superarlo. Lo curioso es que lo supero agarrándome de mi parte derecha. Allí hay más seguridad para mí. Quisiera entrar en tu templo y gozar ¿Qué es lo que me hace no dedicarme más a tu búsqueda? Cierta como inercia, dejadez, pero en el fondo es *un gran resentimiento por el modo siento que me llevas.*

¿Qué no me gusta del sueño? No me gusta el que ese abismo sea mi corazón vacío. No lo sé seguro, pero no me gusta esa interpretación. No me gusta que eso esté del lado izquierdo. No me gusta que me salve mi parte derecha, donde está mi dolor. No me gusta que lo que más haga caminar sea el qué dirán de los que vienen detrás. No me gusta que no percibía bien qué hay en ese templo, y si lo que hay es música y alegría, no me gusta haber entrado y gozado de la seguridad.

Lo que queda también claro es que hay muchas cosas de mi propia vida que no me gustan. No me gusta mi físico. Me siento feo. No me gusta mi suerte, no me gusta no haber gozado las cosas que todos los jóvenes vivieron. No me gusta no haber amado y besado en una playa, no me gusta no haber tenido una relación sencilla pero dulce y cariñosa con una mujer. No me gusta nada de lo que ahora tengo. No me gusta, en definitiva, el que siempre sea yo más enfermo que todos los demás. *¡No me gusta y no me gusta! Estoy como harto de todas esas cosas, de todos esos miedos, de todas esas desventajas. En mi está esa gran represa que traga el agua de la vida, que para mí se convierte siempre en un tobogán de muerte. Señor, ¿por qué me has abandonado?*

Al llegar a esta altura de mi vida, Señor estoy en frustración. Hay cosas, sin embargo, que no me han frustrado, es verdad. *Pero en lo más vital estoy frustrado.* Para qué voy a mentirme. Y por eso lo expreso todo en enfermedad y en miedos y en ansiedades y en hipocondrías.

Nunca termino de aceptar todo esto Señor. No sé si fue tu voluntad o fueron otras cosas las que me han llevado a esta vida. Lo que sí, es que yo he creído siempre que estaba ligado a tu voluntad. *Y se me hace muy ingrato que sabiéndolo tú todo, no me lo aclararas de una y otra manera para salir del error.*

Me siento engañado y frustrado. *Me violaste Señor, y yo de tonto me dejé violar, y mira ahora lo que tengo. ¡No tengo nada ni a nadie!* Eso quizás es lo que más me duele, Señor. Pero también me desespera estar siempre en esta misma línea. Siempre con esta misma querella. Me pone harto esta lucha. A veces pienso, Señor si no sería mejor agarrar e irme sólo fuera de esta represa. *¡Lo que tanto quiero, me ha funcionado cono una "represa", como un embudo del agua de mi vida!*

Tal vez quisiera correr la suerte de tantos que se escapan de esta vida y hacen una pequeña vida, como de tejas abajo pero más tranquila y más feliz, viviendo así, los últimos años de mi vida en cierta paz y en cierta quietud del corazón. Me siento como asfixiado. No me entiendo...

Quizás por todo esto no entro en el templo y gozo de la alegría. *Tengo un resentimiento que no me acaba de salir del corazón.* Lo tengo y está fuerte. Siempre ha sido muy fuerte. Pero ahora me topo con que ahí está todavía. También el tema me da pereza porque es estar en el mismo agujero. ¡Pero no todo es la represa, mucho de mi vida es pasar puentes difíciles y los paso! *¡Sí, también el sueño no se queda allí, como tampoco mi propia vida. Yo sigo caminando. Es verdad. Lo que más me motiva no es el agua que puede irse por el embudo, sino caminar para encontrar lo más seguro, lo que está sobre roca, lo que refleja tu presencia, Señor!*

¡Señor sal de ese templo y muéstrame tu sonrisa, muéstrame humano y no lleno de inciensos y ritos y leyes y tablas de pecados! Sedúceme, Señor. Cambia toda esa parte reprimida mía –que sin duda lo está– en material para tu seducción amorosa y abarcante. Jesús, todo eso lo tengo que integrar todavía. Qué largo es el camino de tu seguimiento. Me parece como si todavía estoy aprendiendo a caminar. Señor en tu templo hasta el gorrión tiene casa ¿Por qué no podré hacer de ello también mi morada? *Dime una palabra y podré entrar, dame tu palabra, señala mi nombre. Di mi nombre para sentirme cercano; ya una sola cosa contigo.* Entonces, si saltara una verdadera agua que no se la tragará nada ni nadie. Entonces, de esa roca –que eres tú mismo– saldrá el Agua de Vida. Entonces, de tu mismo templo saldrá agua que brinque hasta siempre jamás. *¡Vi que el agua salía del Templo! Amen.*

## CRECER BEBIENDO DEL PROPIO POZO

Luego de reconocer y hacer un camino de curación de las heridas personales, y haber hecho consciente el proceso vulnerado que se ha vivido, se abre la posibilidad de reconocer y hacer un camino de redención acogiendo y potenciando el pozo de la positividad y de las energías vitales. Este es el camino que lleva a desarrollar plenamente la dimensión humana: limpiar la herida desde el propio manantial para pasar a la plenificación de la existencia que consiste en la capacidad de *crear el amor y las condiciones del mismo.*

Por esto, el compromiso con el crecimiento personal, es un proceso continuo que sólo es posible si se nutre con el agua del propio pozo, el agua que nace del *manantial* interior –Dios– que es el *agua viva.* No es tarea fácil, pero es posible cuando se vive desde el deseo y la decisión de cambio. Las voces positivas personales y externas ayudan a esto. Las personales sustituyen a las voces negativas que se recibieron desde niño; las externas tienen el "*Efecto Pigmalión*"[125]: ayudan a sacar lo mejor de sí mismo.

Potenciar la positividad, y hacer crecer cada vez más el pozo, redunda en la autocrítica constructiva, la capacidad para tomar decisiones, la libertad en las relaciones, la aceptación de la crítica externa como camino de crecimiento, la ausencia de miedos psicológicos, el manejo de la culpa sana y responsable, las reacciones proporcionadas, la disminución del empleo de los mecanismos de defensa, el comportamiento no compulsivo, y la posibilidad de tener la imagen del Dios de Jesús.

*Crecer bebiendo del propio pozo,* hacer crecer las cualidades que son certezas y las que son presentimientos en cada uno, potencia la autoestima positiva: saberse un ser con potencialidades y limitaciones, aceptarse, acogerse y amar-

125. Ver nota nº 29. Cfr. "El efecto Pigmalion: efectos de las expectativas", en MORALES, Pedro, *La relación profesor-alumno en el aula,* Editorial PPC, Madrid, 1998, pp. 63-70.

se así, y por esto, hacer lo mismo con las demás personas. Todo ello lleva a la acción creadora. Permite reconocer los deseos profundos, y encontrar en ellos una fuente del conocimiento del propio yo.

*Crecer bebiendo del propio pozo* exige hacer un proceso de integración de las sombras metafísicas, corporales, psicológicas, teologales, opcionales y sociopolíticas que acompañan a toda persona, y que se activan en forma privilegiada con la sincronicidad (coincidencia histórica de personas y circunstancias), y se revelan a través de los sueños.

Brota también del manantial y lanza a la responsabilidad con la historia, la voz de la conciencia, la ***voz*** del propio ser que se expresa. Es esa la voz que va indicando cuando algo de lo que se realiza se acerca o no a la verdadera felicidad, indica el camino, se convierte en el gran patrón para discernir. Una voz que surge del manantial y se alimenta con los valores: los derechos humanos y los fondos universales religiosos.

Las distintas herramientas terapéuticas que hemos trabajado en este taller, son medios para lograr el objetivo propuesto: sanar la herida, potenciar el pozo, y aprender a vivir nutriéndonos del ***agua viva*** que brota del ***manantial***.

Finalmente, es el encuentro del ***propio pozo*** que brota del ***manantial***, y que se reconoce a través de esas cualidades que son *evidencias*, y reflejan la presencia trinitaria de Dios en cada uno, lo que posibilita la relación con el Dios de Jesús, el Dios de la alegre misericordia, del amor incondicional, de la gratuidad, del compromiso solidario, del misterio, de la libertad y la confianza, de la muerte que genera vida… El Dios de la esperanza, apasionado por los pobres y pecadores, que invita y lleva a volcarse en la causa de la liberación de las personas necesitadas de toda índole.

El cuadro que presentamos a continuación, permite comprender en forma global lo que significa ***Crecer bebiendo del propio pozo***.

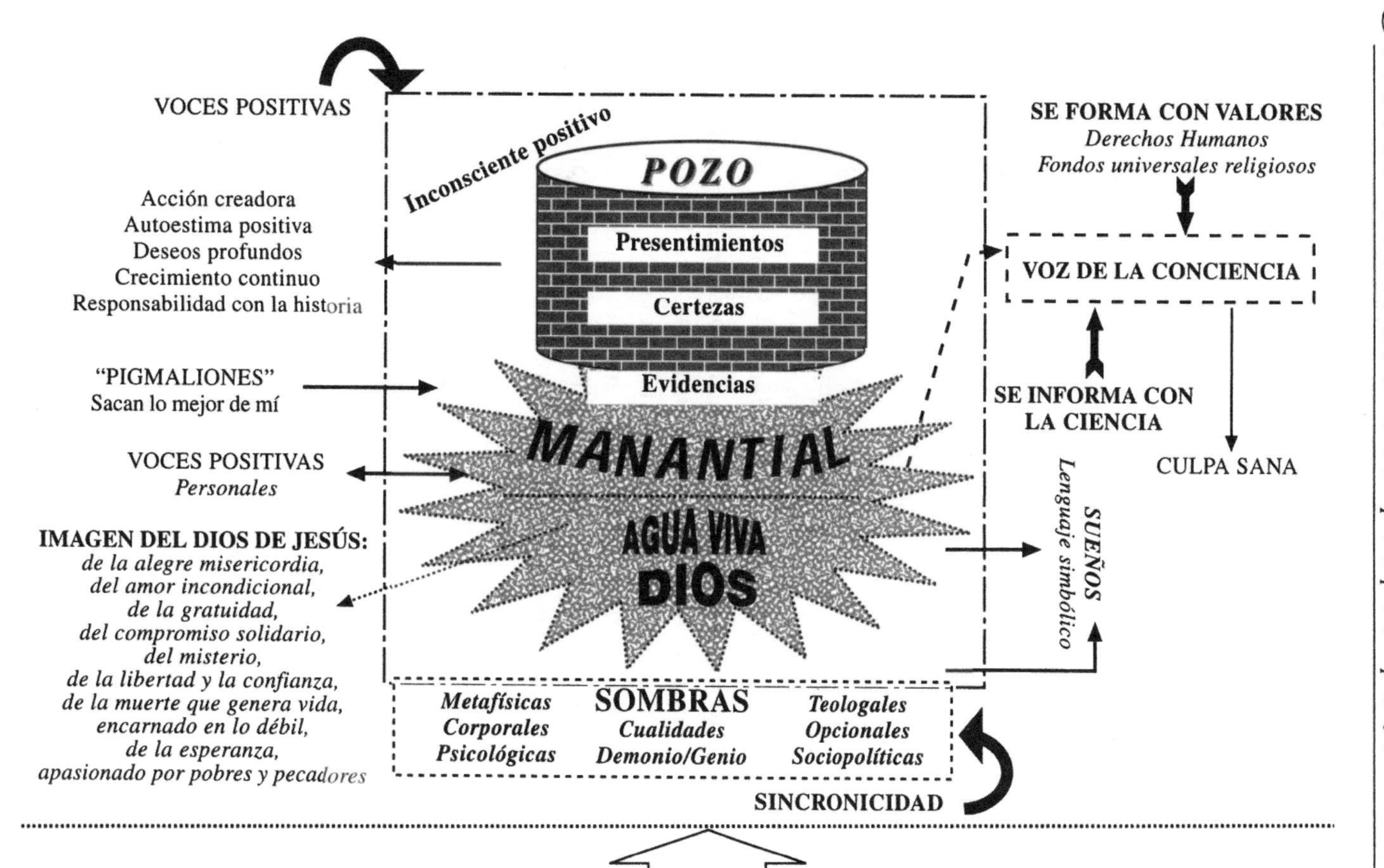


**HERRAMIENTAS TERAPÉUTICAS**

*Focusing integrador - Ejercicios de armonización e integración - T´ai Chi - Bioenergética - Encuentro con el Dios de Jesús*

# CRECER BEBIENDO DEL PROPIO POZO

# Epílogo

***"... Contigo hablo: levántate,***
***carga tu camilla y vete a casa... "***
*(Lc. 5,24)*

*Estas palabras son para ti que has terminado la experiencia de realizar el taller.*

*Nuestra experiencia es que justo en este momento podrás notar en ti que algo ha cambiado. No eres ya una persona completamente distinta pero sí han ocurrido cambios significativos. Esos cambios significativos tienen que ver fundamentalmente con dos cosas: algo que se va modificando en tu cuerpo, en tu estructura corpórea, y algo también que tiene que ver con la suavidad. La suavidad es sinónima de aceptación, es sinónima de destreza, es sinónima de haberse comenzado a formar un hábito que comienza a ser connatural contigo.*

*Ahora, podrás tener un conocimiento práctico, mucho más hondo, de lo que eres tú. Tienes un mapa de tus procedimientos psicológicos. Tienes los diseños por donde tus caminos personales han sido trazados. Te metiste a lo más hondo de tu parte vulnerada, no para sufrir, no para simplemente "volver a revivir el dolor", sino para entrar a ese infierno y de allí remontarte a lo que te da vida. Has encontrado la herida que te hicieron; has comprendido cómo de allí se ha generado todo un sin número de comportamientos que a su vez te han hecho sufrir y han hecho sufrir a los demás, sobre todo a los más cercanos, a los que también más quieres. Todo esto te había hecho una coraza que la disfrazabas pero que en el fondo te mantenía como una persona aplastada, machucada, deprimida. También fuiste capaz de detectar muchas voces negativas con las que te condenaron y te seguías condenando.*

*Seguidamente se te ha descubierto tu propio pozo. Algo que quizás lo tenías muy abandonado; de lo que ni siquiera te habías hecho consciente. Es en ese pozo donde encontrarás, de ahora en adelante, las voces, las fuerzas, la dinámica que te da vida y que es capaz de dar vida a los demás: eso que llamamos el manantial, donde –al fondo, fondo– has podido vivenciar la presencia de Dios. Todo esto puede comenzar a ser para ti una nueva forma de cuerpo; un modo vitalmente distinto de "vivenciar tu cuerpo".*

*Todo esto te hará ser más tú, pero de verdad. Recuerda aquella frase de Juan Ramón Jiménez:* "¡Todos los días soy yo, pero qué pocos días soy yo!" *De ahora en adelante tienes el compromiso de ser más tú.*

*En todo el proceso del taller no se habló de Dios explícitamente, sólo cuando nos referimos al Agua Viva que sustenta tu manantial. De algún modo el taller es una pedagogía hacia Dios. Obviamente que respetamos a los que no tienen esta experiencia. Estamos seguros, con todo, que creer nos abre a la posibilidad de tener un interlocutor que no se nos impone desde fuera –porque a Dios lo encontramos en lo más íntimo nuestro– porque está hecho una sola cosa con nosotros mismos. Dios es un interlocutor, es persona en quien podemos experimentar el amor sin condiciones, el amor que es pura gratuidad. Eso es lo que más cura, eso es lo que en realidad sana. Si alguien no tiene la experiencia de fe, pero sí ha recibido en su vida amor sin condiciones y gratuito, tiene la gran posibilidad de crecer con todo su potencial.*

*Nos hemos movido en tres puntos principales: el* ***crecimiento personal****, que no nos aleja sino que nos impele a la* ***solidaridad****, a obras que modifiquen el rostro del mundo, y que ambas cosas se tornan el fundamento de una* ***espiritualidad nueva****. Este precisamente es el sueño que queremos realizar con quienes compartimos la experiencia de este taller: hacer la síntesis entre esos tres elementos que son, para nosotros, lo que constituye el ser personal más profundamente.*

*Una cosa que creo que te ha quedado claro es que en todo este proceso está de por medio tu voluntad y deseo de cambio. Muchas veces no cambiamos porque no queremos. No cambiamos por esas pseudo-ganancias de seguir como estamos. Todo este proceso es una invitación a dejar eso que sacábamos de ventaja para aprender a vivir la vida.*

*Este taller no sólo te ha dejado conocimientos, vivencias profundas. También te ha dejado un instrumental no complicado, no sofisticado, que puedes seguir aplicándolo contigo y con las personas que te toca acompañar, con las que te cruzas en la calle, los que te salen al paso. Sólo el que ha sufrido puede acompañar, sólo el que ha experimentado carencias sabe acompañar a traspasarlas. Es decir, que este proceso curativo, que este proceso de ponerte de pie, se convierte en una responsabilidad histórica sin ambages. En lo más profundo de tu manantial, donde te topaste con Dios, seguro que apareció algún rasgo que tenía que ver con la solidaridad, con los demás; con los que son mayoría en esta historia que nos toca vivir.*

*Ahora, estas interpelaciones te permitirán evaluarte y medir, si se pudiere, el fruto de* ***crecer bebiendo del propio pozo****:*

*Si como efecto de lo que aquí viviste eres capaz, o por lo menos sientes el deseo, de construir amor y vida...*

*Si ya no reaccionas tan desproporcionadamente como antaño, conoces tus compulsiones y las malas jugadas que te hacen, y quieres dejar tus defensas y ser ya tu mismo...*

*Si has captado la estructura de tu cuerpo que te aprisionaba y comienzas a vivenciarlo de otro modo, empiezas a "estar" de una forma diferente...*

*Si sabes aceptar tus limitaciones y has comenzado a convivir con la contradicción intrínseca de la humanidad, eso de que "hacemos el mal que no queremos"...*

*Si el nivel de tu estima está creciendo, si aumenta tu capacidad de dialogar, de perdonar y perdonarte...*

*Si se ha aumentado tu sentido del buen humor, y la capacidad de sonreír y de admirarte de las personas y de las cosas...*

*Si gustas de la soledad y le sacas fruto a ella, lo cual no significa que no goces de la compañía de los demás...*

*Si puedes ir construyendo amistades duraderas y nutrientes de tu parte, y sabes comenzar a recibirlas con tranquilidad y gozo profundo...*

*Si vas entendiendo que tu vida tiene que ver con la vida de los demás, y sobre todo, con la de los que más necesitan...*

*Si en tu trabajo tienes el deseo de poner una gran creatividad que nace de ti mismo, y este trabajo tiene en cuenta los grandes retos de la historia...*

*Si te has liberado de los fetiches de Dios y te has abierto al Dios de la Vida...*

*Si sientes que ha aumentado un "excedente" de ternura y suavidad en el modo de vivir...*

***¡Si esto está pasando en ti, es signo de que algo significativo se ha modificado en tu vida!***

*A partir de hoy, sigue creciendo:*

***"... bebe agua de tu aljibe... bebe a chorros de tu pozo...".***

(Prov 5,15)

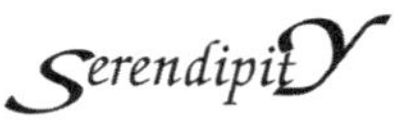

DIRECTOR: CARLOS ALEMANY

1. *Relatos para el crecimiento personal.* CARLOS ALEMANY (ED.). PRÓLOGO DE JOSÉ LUIS PINILLOS. (6ª ed.)
2. *La asertividad: expresión de una sana autoestima.* OLGA CASTANYER. (27ª ed.)
3. *Comprendiendo cómo somos. Dimensiones de la personalidad.* A. GIMENO-BAYÓN. (5ª ed.)
4. *Aprendiendo a vivir. Manual contra el aburrimiento y la prisa.* ESPERANZA BORÚS. (5ª ed.)
5. *¿Qué es el narcisismo?* JOSÉ LUIS TRECHERA. (2ª ed.)
6. *Manual práctico de P.N.L. Programación neurolingüística.* RAMIRO J. ÁLVAREZ. (5ª ed.)
7. *El cuerpo vivenciado y analizado.* CARLOS ALEMANY Y VÍCTOR GARCÍA (EDS.)
8. *Manual de Terapia Infantil Gestáltica.* LORETTA ZAIRA CORNEJO PAROLINI. (5ª ed.)
9. *Viajes hacia uno mismo. Diario de un psicoterapeuta en la postmodernidad.* FERNANDO JIMÉNEZ HERNÁNDEZ-PINZÓN. (2ª ed.)
10. *Cuerpo y Psicoanálisis. Por un psicoanálisis más activo.* JEAN SARKISSOFF. (2ª ed.)
11. *Dinámica de grupos. Cincuenta años después.* LUIS LÓPEZ-YARTO ELIZALDE. (7ª ed.)
12. *El eneagrama de nuestras relaciones.* MARIA-ANNE GALLEN - HANS NEIDHARDT. (5ª ed.)
13. *¿Por qué me culpabilizo tanto? Un análisis psicológico de los sentimientos de culpa.* LUIS ZABALEGUI. (3ª ed.)
14. *La relación de ayuda: De Rogers a Carkhuff.* BRUNO GIORDANI. PRÓLOGO DE M. MARROQUÍN. (3ª ed.)
15. *La fantasía como terapia de la personalidad.* F. JIMÉNEZ HERNÁNDEZ-PINZÓN. (2ª ed.)
16. *La homosexualidad: un debate abierto.* JAVIER GAFO (ED.). (3ª ed.)
17. *Diario de un asombro.* ANTONIO GARCÍA RUBIO. PRÓLOGO DE J. MARTÍN VELASCO. (3ª ed.)
18. *Descubre tu perfil de personalidad en el eneagrama.* DON RICHARD RISO. (6ª ed.)
19. *El manantial escondido. La dimensión espiritual de la terapia.* THOMAS HART.
20. *Treinta palabras para la madurez.* JOSÉ ANTONIO GARCÍA-MONGE. (11ª ed.)
21. *Terapia Zen.* DAVID BRAZIER. PRÓLOGO DE ANA MARÍA SCHLÜTER RODÉS. (2ª ed.)
22. *Sencillamente cuerdo. La espiritualidad de la salud mental.* GERALD MAY. PRÓLOGO DE JOSÉ-VICENTE BONET.
23. *Aprender de Oriente: Lo cotidiano, lo lento y lo callado.* JUAN MASIÁ CLAVEL.
24. *Pensamientos del caminante.* M. SCOTT PECK. PRÓLOGO DE JOSÉ-VICENTE BONET.
25. *Cuando el problema es la solución. Aproximación al enfoque estratégico.* RAMIRO J. ÁLVAREZ. (2ª ed.)
26. *Cómo llegar a ser un adulto. Manual sobre la integración psicológica y espiritual.* DAVID RICHO. (3ª ed.)
27. *El acompañante desconocido. De cómo lo masculino y lo femenino que hay en cada uno de nosotros afecta a nuestras relaciones.* JOHN A. SANFORD.
28. *Vivir la propia muerte.* STANLEY KELEMAN. PRÓLOGO DE JUAN MANUEL G. LLAGOSTERA.
29. *El ciclo de la vida: Una visión sistémica de la familia.* ASCENSIÓN BELART - MARÍA FERRER. PRÓLOGO DE LUIS ROJAS MARCOS. (2ª ed.)
30. *Yo, limitado. Pistas para descubrir y comprender nuestras minusvalías.* MIGUEL ÁNGEL CONESA FERRER.
31. *Lograr buenas notas con apenas ansiedad. Guía básica para sobrevivir a los exámenes.* KEVIN FLANAGAN. PRÓLOGO DE JOAQUÍN Mª. GARCÍA DE DIOS.
32. *Alí Babá y los cuarenta ladrones. Cómo volverse verdaderamente rico.* VERENA KAST. PRÓLOGO DE GABRIELA WASSERZIEHR.
33. *Cuando el amor se encuentra con el miedo.* DAVID RICHO. (3ª ed.)
34. *Anhelos del corazón. Integración psicológica y espiritualidad.* WILKIE AU - NOREEN CANNON. (2ª ed.)
35. *Vivir y morir conscientemente.* IOSU CABODEVILLA. PRÓLOGO DE CELEDONIO CASTANEDO. (4ª ed.)
36. *Para comprender la adicción al juego.* MARÍA PRIETO URSÚA. PRÓLOGO DE LUIS LLAVONA.
37. *Psicoterapia psicodramática individual.* TEODORO HERRANZ CASTILLO.
38. *El comer emocional.* EDWARD ABRAMSON. (2ª ed.)
39. *Crecer en intimidad. Guía para mejorar las relaciones interpersonales.* JOHN AMODEO - KRIS WENTWORTH. (2ª ed.)
40. *Diario de una maestra y de sus cuarenta alumnos.* ISABEL AGÜERA ESPEJO-SAAVEDRA.
41. *Valórate por la felicidad que alcances.* XAVIER MORENO LARA.
42. *Pensándolo bien... Guía práctica para asomarse a la realidad.* RAMIRO J. ÁLVAREZ. PRÓLOGO DE JOSÉ KLINGBEIL.
43. *Límites, fronteras y relaciones. Cómo conocerse, protegerse y disfrutar de uno mismo.* CHARLES L. WHITFIELD. PRÓLOGO DE JOHN AMODEO.
44. *Humanizar el encuentro con el sufrimiento.* JOSÉ CARLOS BERMEJO.
45. *Para que la vida te sorprenda.* MATILDE DE TORRES. (2ª ed.)
46. *El Buda que siente y padece. Psicología budista sobre el carácter, la adversidad y la pasión.* DAVID BRAZIER.
47. *Hijos que no se van. La dificultad de abandonar el hogar.* JORGE BARRACA. PRÓLOGO DE LUIS LÓPEZ-YARTO.
48. *Palabras para una vida con sentido.* Mª. ÁNGELES NOBLEJAS. (2ª ed.)
49. *Cómo llevarnos bien con nuestros deseos.* PHILIP SHELDRAKE.
50. *Cómo no hacer el tonto por la vida. Puesta a punto práctica del altruismo.* LUIS CENCILLO. PRÓLOGO DE ANTONIO BLANCH. (2ª ed.)

51. *Emociones: Una guía interna. Cuáles sigo y cuáles no.* Leslie S. Greenberg. Prólogo de Carmen Mateu. (3ª ed.)
52. *Éxito y fracaso. Cómo vivirlos con acierto.* Amado Ramírez Villafáñez. Prólogo de Vicente E. Caballo.
53. *Desarrollo de la armonía interior. La construcción de una personalidad positiva.* Juan Antonio Bernad.
54. *Introducción al Role-Playing pedagógico.* Pablo Población Knappe y Elisa López Barberá y Cols. Prólogo de José A. García-Monge.
55. *Cartas a Pedro. Guía para un psicoterapeuta que empieza.* Loretta Cornejo.
56. *El guión de vida.* José Luis Martorell. Prólogo de Javier Ortigosa.
57. *Somos lo mejor que tenemos.* Isabel Agüera Espejo-Saavedra.
58. *El niño que seguía la barca. Intervenciones sistémicas sobre los juegos familiares.* Giuliana Prata; Maria Vignato y Susana Bullrich.
59. *Amor y traición.* John Amodeo. Prólogo de Carlos Alemany.
60. *El amor. Una visión somática.* Stanley Keleman. Prólogo de J. Guillén de Enríquez.
61. *A la búsqueda de nuestro genio interior: Cómo cultivarlo y a dónde nos guía.* Kevin Flanagan. Prólogo de Eugene Gendlin.
62. *A corazón abierto.Confesiones de un psicoterapeuta.* F. Jiménez Hernández-Pinzón.
63. *En vísperas de morir. Psicología, espiritualidad y crecimiento personal.* Iosu Cabodevilla Eraso. Prólogo de Ramón Martín Rodrigo.
64. *¿Por qué no logro ser asertivo?* Olga Castanyer y Estela Ortega. (5ª ed.)
65. *El diario íntimo: buceando hacia el yo profundo.* José-Vicente Bonet, S.J. (2ª ed.)
66. *Caminos sapienciales de Oriente.* Juan Masiá.
67. *Superar la ansiedad y el miedo. Un programa paso a paso.* Pedro Moreno. Prólogo de David H. Barlow, Ph.D. (7ª ed.)
68. *El matrimonio como desafío. Destrezas para vivirlo en plenitud.* Kathleen R. Fischer y Thomas N. Hart.
69. *La posada de los peregrinos. Una aproximación al Arte de Vivir.* Esperanza Borús.
70. *Realizarse mediante la magia de las coincidencias. Práctica de la sincronicidad mediante los cuentos.* Jean-Pascal Debailleul y Catherine Fourgeau.
71. *Psicoanálisis para educar mejor.* Fernando Jiménez Hernández-Pinzón.
72. *Desde mi ventana. Pensamientos de autoliberación.* Pedro Miguel Lamet.
73. *En busca de la sonrisa perdida. La psicoterapia y la revelación del ser.* Jean Sarkissoff. Prólogo de Serge Peyrot.
74. *La pareja y la comunicación. La importancia del diálogo para la plenitud y la longevidad de la pareja. Casos y reflexiones.* Patrice Cudicio y Catherine Cudicio.
75. *Ante la enfermedad de Alzheimer. Pistas para cuidadores y familiares.* Marga Nieto Carrero. (2ª ed.)
76. *Me comunico... Luego existo. Una historia de encuentros y desencuentros.* Jesús de la Gándara Martín.
77. *La nueva sofrología. Guía práctica para todos.* Claude Imbert.
78. *Cuando el silencio habla.* Matilde de Torres Villagrá. (2ª ed.)
79. *Atajos de sabiduría.* Carlos Díaz.
80. *¿Qué nos humaniza? ¿Qué nos deshumaniza? Ensayo de una ética desde la psicología.* Ramón Rosal Cortés.
81. *Más allá del individualismo.* Rafael Redondo.
82. *La terapia centrada en la persona hoy. Nuevos avances en la teoría y en la práctica.* Dave Mearns y Brian Thorne. Prólogo de Manuel Marroquín Pérez.
83. *La técnica de los movimientos oculares. La promesa potencial de un nuevo avance psicoterapéutico.* Fred Friedberg. Introducción a la edición española por Ramiro J. Álvarez
84. *No seas tu peor enemigo... ¡...Cuando puedes ser tu mejor amigo!* Ann-M. McMahon.
85. *La memoria corporal. Bases teóricas de la diafreoterapia.* Luz Casasnovas Susanna. Prólogos de Malen Cirerol y Linda Jent
86. *Atrapando la felicidad con redes pequeñas.* Ignacio Berciano Pérez. Con la colaboración de Itziar Barrenengoa. (2ª ed.)
87. *C.G. Jung. Vida, obra y psicoterapia.* M. Pilar Quiroga Méndez.
88. *Crecer en grupo. Una aproximación desde el enfoque centrado en la persona.* Bartomeu Barceló. Prólogo de Javier Ortigosa.
89. *Automanejo emocional. Pautas para la intervención cognitiva con grupos.* Alejandro Bello Gómez, Antonio Crego Díaz. Prólogo de Guillem Feixas i Viaplana.
90. *La magia de la metáfora. 77 relatos breves para educadores, formadores y pensadores.* Nick Owen. Prólogo de Ramiro J. Álvarez.
91. *Cómo volverse enfermo mental.* José Luís Pio Abreu. Prólogo de Ernesto Fonseca-Fábregas.
92. *Psicoterapia y espiritualidad. La integración de la dimensión espiritual en la práctica terapéutica.* Agneta Schreurs. Prólogo de José María Mardones.
93. *Fluir en la adversidad.* Amado Ramírez Villafáñez.
94. *La psicología del soltero: Entre el mito y la realidad.* Juan Antonio Bernad.
95. *Un corazón auténtico. Un camino de ocho tramos hacia un amor en la madurez.* John Amodeo. Prólogo de Olga Castanyer.

96. *Luz, más luz. Lecciones de filosofía vital de un psiquiatra.* Benito Peral. Prólogo de Carlos Alemany
97. *Tratado de la insoportabilidad, la envidia y otras "virtudes" humanas.* Luis Raimundo Guerra. (2ª ed.)
98. *Crecimiento personal: Aportaciones de Oriente y Occidente.* Mónica Rodríguez-Zafra (Ed.).
99. *El futuro se decide antes de nacer. La terapia de la vida intrauterina.* Claude Imbert.
100. *Cuando lo perfecto no es suficiente. Estrategias para hacer frente al perfeccionismo.* Martin M. Antony - Richard P. Swinson. (2ª ed.)
101. *Los personajes en tu interior. Amigándote con tus emociones más profundas.* Joy Cloug.
102. *La conquista del propio respeto. Manual de responsabilidad personal.* Thom Rutledge.
103. *El pico del Quetzal. Sencillas conversaciones para restablecer la esperazanza en el futuro.* Margaret J. Wheatley.
104. *Dominar las crisis de ansiedad. Una guía para pacientes.* Pedro Moreno, Julio C. Martín. Prólogo de David H. Barlow Ph.D. (5ª ed.)
105. *El tiempo regalado. La madurez como desafío.* Irene Estrada Ena.
106. *Enseñar a convivir no es tan difícil. Para quienes no saben qué hacer con sus hijos, o con sus alumnos.* Manuel Segura Morales. (8ª ed.)
107. *Encrucijada emocional. Miedo (ansiedad), tristeza (depresión), rabia (violencia), alegría (euforia).* Karmelo Bizkarra. (3ª ed.)
108. *Vencer la depresión. Técnicas psicológicas que te ayudarán.* Marisa Bosqued.
109. *Cuando me encuentro con el capitán Garfio... (no) me engancho. La práctica en psicoterapia gestalt.* Ángeles Martín y Carmen Vázquez. Prólogo de Adriana Schnake.
110. *La mente o la vida. Una aproximación a la Terapia de Aceptación y Compromiso.* Jorge Barraca Mairal. Prólogo de José Antonio Jáuregui. (2ª ed.)
111. *¡Deja de controlarme! Qué hacer cuando la persona a la que queremos ejerce un dominio excesivo sobre nosotros.* Richard J. Stenack.
112. *Responde a tu llamada. Una guía para la realización de nuestro objetivo vital más profundo.* John P. Schuster.
113. *Terapia meditativa. Un proceso de curación desde nuestro interior.* Michael L. Emmons, Ph.D. y Janet Emmons, M.S.
114. *El espíritu de organizarse. Destrezas para encontrar el significado a sus tareas.* Pamela Kristan.
115. *Adelgazar: el esfuerzo posible. Un sistema gradual para superar la obesidad.* Agustín Cózar.
116. *Crecer en la crisis. Cómo recuperar el equilibrio perdido.* Alejandro Rocamora. Prólogo de Carlos Alemany. (2ª ed.)
117. *Rabia sana. Cómo ayudar a niños y adolescentes a manejar su rabia.* Bernard Golden, Ph. D.
118. *Manipuladores cotidianos. Manual de supervivencia.* Juan Carlos Vicente Casado.
119. *Manejar y superar el estrés. Cómo alcanzar una vida más equilibrada.* Ann Williamson.
120. *La integración de la terapia experiencial y la terapia breve. Un manual para terapeutas y consejeros.* Bala Jaison. Prólogo de Olga Castanyer.
121. *Este no es un libro de autoayuda. Tratado de la suerte, el amor y la felicidad.* Luis Raimundo Guerra. Prólogo de José Luis Marín.
122. *Psiquiatría para el no iniciado.* Rafa Euba.
123. *El poder curativo del ayuno. Recuperando un camino olvidado hacia la salud.* Karmelo Bizkarra. Prólogo de Carlos Alemany. (2ª ed.)
124. *Vivir lo que somos. Cuatro actitudes y un camino.* Enrique Martínez Lozano. (3ª ed.)
125. *La espiritualidad en el final de la vida. Una inmersión en las fronteras de la ciencia.* Iosu Cabodevilla Eraso.
126. *Regreso a la conciencia.* Amado Ramírez.
127. *Las constelaciones familiares. En resonancia con la vida.* Peter Bourquin. (2ª ed.)
128. *El libro del éxito para vagos. Descubra lo que realmente quiere y cómo conseguirlo sin estrés.* Thomas Hohensee.
129. *Yo no valgo menos. Sugerencias cognitivo- humanistas para afrontar la culpa y la vergüenza.* Olga Castanyer.
130. *Manual de Terapia Gestáltica aplicada a los adolescentes.* Loretta Zaira Cornejo.
131. *¿Para qué sirve el cerebro? Manual para principiantes.* Javier Tirapu.

Serie MAIOR

1. *Anatomía Emocional. La estructura de la experiencia somática* Stanley Keleman. (6ª ed.)
2. *La experiencia somática. Formación de un yo personal.* Stanley Keleman. (2ª ed.)
3. *Psicoanálisis y análisis corporal de la relación.* André Lapierre.
4. *Psicodrama. Teoría y práctica.* José Agustín Ramírez. Prólogo de José Antonio García-Monge. (3ª ed.)
5. *14 Aprendizajes vitales.* Carlos Alemany (ed.). (11ª ed.)
6. *Psique y Soma. Terapia bioenergética.* José Agustín Ramírez. Prólogo de Luis Pelayo. Epílogo de Antonio Núñez.
7. *Crecer bebiendo del propio pozo.Taller de crecimiento personal.* Carlos Rafael Cabarrús, S.J. Prólogo de Carlos Alemany. (11ª ed.)

8. *Las voces del cuerpo. Respiración, sonido y movimiento en el proceso terapéutico.* CAROLYN J. BRADDOCK.
9. *Para ser uno mismo. De la opacidad a la transparencia.* JUAN MASIÁ CLAVEL
10. *Vivencias desde el Enneagrama.* MAITE MELENDO. (3ª ed.)
11. *Codependencia. La dependencia controladora. La depencencia sumisa.* DOROTHY MAY.
12. *Cuaderno de Bitácora, para acompañar caminantes. Guía psico-histórico-espiritual.* CARLOS RAFAEL CABARRÚS. (4ª ed.)
13. *Del ¡viva los novios! al ¡ya no te aguanto! Para el comienzo de una relación en pareja y una convivencia más inteligente.* EUSEBIO LÓPEZ. (2ª ed.)
14. *La vida maestra. El cotidiano como proceso de realización personal.* JOSÉ MARÍA TORO.
15. *Los registros del deseo. Del afecto, el amor y otras pasiones.* CARLOS DOMÍNGUEZ MORANO. (2ª ed.)
16. *Psicoterapia integradora humanista. Manual para el tratamiento de 33 problemas psicosensoriales, cognitivos y emocionales.* ANA GIMENO-BAYÓN Y RAMÓN ROSAL.
17. *Deja que tu cuerpo interprete tus sueños.* EUGENE T. GENDLIN. PRÓLOGO DE CARLOS R. CABARRÚS.
18. *Cómo afrontar los desafíos de la vida.* CHRIS L. KLEINKE.
19. *El valor terapéutico del humor.* ÁNGEL RZ. IDÍGORAS (ED.). (3ª ed.)
20. *Aumenta tu creatividad mental en ocho días.* RON DALRYMPLE, PH.D., F.R.C.
21. *El hombre, la razón y el instinto.* JOSÉ Mª PORTA TOVAR.
22. *Guía práctica del trastorno obsesivo compulsivo (TOC). Pistas para su liberación.* BRUCE M. HYMAN Y CHERRY PEDRICK. PRÓLOGO DE ALEJANDRO ROCAMORA.
23. *La comunidad terapéutica y las adicciones Teoría, Modelo y Método.* GEORGE DE LEON. PRESENTACIÓN DE ALBERT SABATÉS.
24. *El humor y el bienestar en las intervenciones clínicas.* WALEED A. SALAMEH Y WILLIAM F. FRY. PRÓLOGO DE CARLOS ALEMANY.
25. *El manejo de la agresividad. Manual de tratamiento completo para profesionales.* HOWARD KASSINOVE Y RAYMOND CHIP TAFRATE. PRÓLOGO DE ALBERT ELLIS.
26. *Agujeros negros de la mente. Claves de salud psíquica.* JOSÉ L. TRECHERA. PRÓLOGO DE LUIS LÓPEZ-YARTO.
27. *Cuerpo, cultura y educación.* JORDI PLANELLA RIBERA. PRÓLOGO DE CONRAD VILANOU.
28. *Reír y aprender. 95 técnicas para emplear el humor en la formación.* DONI TAMBLYN.
29. *Manual práctico de psicoterapia gestalt.* ÁNGELES MARTÍN. PRÓLOGO DE CARMELA RUIS DE LA ROSA (3ª ed.)
30. *Más magia de la metáfora. Relatos de sabiduría para aquellas personas que tengan a su cargo la tarea de Liderar, Influenciar y Motivar.* NICK OWEN
31. *Pensar bien - Sentirse bien. Manual práctico de terapia cognitivo-conductual para niños y adolescentes.* PAUL STALLARD.

Este libro se terminó
de imprimir
en los talleres de
RGM, S.A., en Bilbao,
el 21 de enero de 2008.